começando bem seu dia

JOYCE MEYER
DEVOCIONAIS PARA CADA MANHÃ DO ANO

2ª Edição

Edição publicada mediante acordo com Faith Words, New York, New York. Todos os direitos reservados.

COMEÇANDO BEM SEU DIA

DEVOCIONAIS PARA
CADA MANHÃ DO ANO

JOYCE MEYER

Diretor
Lester Bello

Autora
Joyce Meyer

Título Original
Starting your day right

Tradução
Célia Regina Chazanas Clavello

Revisão
Tucha

Editoração Eletrônica
ArtSam Soluções Gráficas

Design capa (Adaptação)
Fernando Duarte Ronald Machado

Impressão e Acabamento
Promove Artes Gráficas

bello

Rua Major Delfino de Paula, 1212
São Francisco, CEP 31.255-170
Belo Horizonte/MG - Brasil
contato@belloeditora.com
www.belloeditora.com

© 2003 Joyce Meyer
Copyright desta edição:
FaithWords

Publicado pela Bello Com. e Publicações
Ltda-ME com devida autorização de
FaithWords, New York, New York.

Todos os direitos autorais
desta obra estão reservados.
1ª Edição - Julho de 2006
Reimpressão, novo formato – Dezembro de 2021

M612	Meyer, Joyce, 1943 Começando bem seu dia: Devocionais para cada manhã do ano / Joyce Meyer; tradução de Célia Regina Chazanas Clavello. Belo Horizonte: Bello Publicações, 2015. 196 p. Título original: Starting your day right. ISBN: 978-85-61721-19-0 1. Meditações. 2. Devocionais. 3. Inspiração Divina. I. Clavello, Célia Regina Chazanas CDD: 231.11 .. CDU: 211

Bibliotecária responsável: Maria Aparecida Costa Duarte - CRB/6-1047

Somente em Deus, ó minha alma, espera
(e submete-te) silenciosa, porque dele vem a minha
esperança (e a minha expectativa).

SALMOS 62.5

Ao menos que seja indicada outra fonte, as citações bíblicas são da
versão *Almeida Revista e Atualizada*, 2ª edição da Sociedade Bíblica
do Brasil. Sempre que necessário, para melhor compreensão do
texto, foram acrescentadas adições entre parênteses e colchetes
traduzidas da versão *Amplified Bible* (Bíblia Amplificada – AMP),
versão ainda não traduzida para o português.

Introdução

Deus quer que você desfrute sua vida. Jesus disse: "Eu vim para que tenham (e desfrutem a vida, e a tenham em abundância (até a plenitude, até transbordar)" (João 10.10). Seus dias podem ser cheios de uma alegria transbordante que, consequentemente, tocará a vida de outros. Você pode experimentar a alegria durante o dia inteiro se começar seu dia da forma certa, ao passar tempo com Deus, lendo sua Palavra, orando e atentando para sua direção.

Ouvir a Deus toda manhã o encherá de expectativa e graça para um dia melhor, e dias assim resultarão em uma vida melhor. O Senhor quer que você O mantenha claramente à vista para poder segui-lo. Ele deseja acordá-lo pela manhã e tornar seu ouvido atento às suas instruções. Se você o buscar de todo seu coração, Ele o renovará com força e endireitará o seu caminho (veja Isaías 40.31; Provérbios 3.6). Escrevi este livro para relembrá-lo dos benefícios de começar seu dia com Deus. Ele não foi escrito para substituir seu tempo pessoal com o Senhor, mas simplesmente para reforçar a importância disso e levá-lo ao seu próprio encontro diário com Ele, para que você possa desfrutar cada dia de sua vida. Ele o ajudará a evitar os extremos, mantendo equilíbrio, obtendo autocontrole e vivendo de forma que tenha um impacto positivo na vida de outros. Eu o encorajo a buscar o Senhor toda manhã e esperar que Ele escreva em seu espírito a direção para cada dia. Deus encherá seu coração com conhecimento, que o iluminará no momento certo. Ao experimentar o poder de começar seu dia com Deus, você nunca mais desejará começar sem Ele.

Começando Bem Seu Dia

1º DE JANEIRO

Comece Bem Seu Dia

Quando eu digo: resvala-me o pé, a tua benignidade, Senhor, me sustém.
SALMOS 94.18

Algumas pessoas parecem começar seu dia com o "pé esquerdo". Elas sentem que tudo está bem quando acordam, mas, assim que algo dá errado, perdem sua firmeza e "manquejam" o resto do dia. Uma vez que começam mal, parece que já não conseguem se acertar.

Se alguém nos ofende logo pela manhã, nossa raiva pode nos colocar na defensiva durante o resto do dia. Se começarmos o dia correndo, parece que não conseguiremos mais desacelerar. Mas hoje nossos pés podem estar firmemente plantados na Palavra de Deus. Não há um "péssimo dia" quando a Palavra de Deus nos sustenta, nos fortalece e nos direciona.

2 DE JANEIRO

Levante-se e Ande

Estou cansado de tanto gemer; todas as noites faço nadar o meu leito, de minhas lágrimas o alago... Apartai-vos de mim, todos os que praticais a iniquidade, porque o Senhor ouviu a voz do meu lamento.
SALMOS 6.6-8. (GRIFO DA AUTORA)

Mesmo antes de despertarmos completamente, Satanás está determinado a nos enganar e pronto para plantar pensamentos de derrota em nossa mente. Ele quer que nos sintamos sem esperança, sem fé e negativos. Ele, definitivamente, não quer que nos sintamos confiantes quando nos levantamos, mas que tenhamos uma atitude ruim, sejamos egoístas e egocêntricos, cheios de ira, amargura, ressentimento, dúvida, incredulidade, medo, bem como que fiquemos furiosos com todos.

Mas, graças a Deus, por intermédio de Jesus Cristo, fomos redimidos de todos esses padrões negativos. Podemos resistir ao diabo e confiar no poder de Deus para vivermos vitoriosamente neste dia.

Começando Bem Seu Dia

3 DE JANEIRO

Permaneça Em Contato Com Deus

Bem-aventurado (feliz, afortunado, próspero e admirável) é o homem que não anda nem vive no conselho dos ímpios [seguindo suas opiniões, planos e propósitos]... Antes, o seu prazer está na lei do Senhor, e na sua lei (os preceitos, instruções e ensinos de Deus) medita (pondera e estuda) de dia e de noite.

SALMOS 1.1-2

Permaneça em contato com Deus hoje; sintonizado à Sua voz. Você pode ter um plano para o dia, mas Deus pode levá-lo a uma direção totalmente diferente se você for sensível ao Espírito Santo. Seja corajoso o suficiente para fluir com aquilo que sente ser a vontade Deus para sua vida.

Hoje será um bom dia. Atente para a voz de Deus orientando-o. Determine-se a andar no Espírito e permanecer fluindo conforme a direção de Deus neste dia.

4 DE JANEIRO

Evite os Atiradores

Ó Deus, tu és o meu Deus forte; eu te busco ansiosamente; a minha alma tem sede de ti... como terra árida, exausta, sem água. Assim, eu te contemplo no santuário, para ver a tua força e a tua glória. Porque a tua graça é melhor do que a vida; os meus lábios te louvam.

SALMOS 63.1-3

Havia pessoas na Bíblia chamadas de atiradores, as quais derrotavam o inimigo ao atirarem pedras contra eles e entulharem seus poços, contaminando sua fonte de águas (veja 2 Reis 3.25). Todos nós conhecemos pessoas que lançam acusações, julgamentos, críticas e difamações contra os outros. Certamente não queremos esse tipo de pessoa em nossa vida, nem queremos nos tornar como elas.

Não seja um atirador que contamina sua própria fé ou a fé das pessoas ao seu redor. Passar tempo com Deus o encherá da "água viva" (veja João 7.38). Você será edificado e se tornará uma fonte de encorajamento para os outros ao longo do dia.

5 DE JANEIRO

Permaneça Fluindo

Na torrente das tuas delícias lhes dás de beber. Pois em ti está o manancial da vida; na tua luz, vemos a luz. Continua a tua benignidade aos que te conhecem, e a tua justiça (salvação), aos retos de coração.

SALMOS 36.8-10

Nunca fui muito inclinada a nadar. Posso não ser a melhor para nadar contra a corrente, mas posso flutuar. É maravilhoso simplesmente confiar nas águas para nos fazer boiar e seguir com a corrente. Podemos confiar em Deus para nos manter flutuando através das correntezas e levar-nos a águas tranquilas.

A Bíblia diz que a misericórdia e a benignidade de Deus são "novas a cada manhã" (veja Lamentações 3.2223). Sua misericórdia não está simplesmente ali esperando por nós, mas também se torna nova, fresca, fluente e poderosa a cada novo dia. Precisamos entrar na corrente do rio da vida de Deus cada novo dia e aprender a fluir no poder de Sua Presença.

6 DE JANEIRO

Descanse

Eu, porém, na justiça (retidão, equidade e posição correta diante de Ti) contemplarei a tua face; quando acordar, eu me satisfarei com a tua semelhança [tendo uma doce comunhão contigo].

SALMOS 17.15

Ao entardecer, o Sol se põe sobre todos os nossos problemas e sobre as falhas que cometemos naquele dia. Mas algo maravilhoso acontece enquanto dormimos: o Senhor nos dá descanso físico, mental e emocional. Somos renovados e revigorados para enfrentar o dia seguinte.

Hoje podemos despertar com os mesmos problemas que tínhamos quando fomos deitar, coisas que no dia anterior nos fizeram sentir que não podíamos mais suportar. Mas de alguma forma, hoje, após um descanso e sono apropriados, pensamos: Eu posso prosseguir, eu posso enfrentar isso novamente. Deus promete renovar nossas forças enquanto descansamos nele.

Começando Bem Seu Dia

7 DE JANEIRO

Alegre-se Hoje

Alegre-se o coração dos que buscam o Senhor. Buscai o Senhor e o seu poder, buscai perpetuamente a sua presença. Lembrai-vos das maravilhas que fez, dos seus prodígios e dos juízos dos seus lábios.

1 Crônicas 16.10-12

Muitas pessoas não percebem quão importante é a manhã, especialmente aqueles primeiros momentos do dia quando despertamos. Deus chama o Sol para raiar sobre nós. O Senhor anseia que acordemos e conversemos com Ele novamente.

Davi, o salmista, falou muito a respeito das manhãs dizendo: "Este é o dia que o Senhor fez; eu me *regozijarei* e me alegrarei nele" (veja Salmos 118.24 – AMP). Davi nem sempre se *sentia* alegre, mas *decidia* alegrar-se no novo dia que o Senhor fez.

Logo ao levantar-se, olhe-se no espelho, sorria e diga: "Hoje eu terei um bom dia porque Jesus me ama".

8 DE JANEIRO

Comece Alegremente

Bem sei, meu Deus, que tu provas os corações e que da sinceridade te agradas; eu também, na sinceridade de meu coração, dei voluntariamente todas estas coisas; acabo de ver com alegria que o teu povo, que se acha aqui, te faz ofertas voluntariamente. Senhor... conserva para sempre no coração do teu povo estas disposições e pensamentos, inclina-lhe o coração para contigo.

1 Crônicas 29.17-18

Meu marido sempre parece feliz. Cinco minutos após acordar, Dave já está cantarolando ou ouvindo uma música enquanto se apronta. Alguns anos atrás, eu não suportava ouvir música alguma pela manhã. Não queria cantar ou ouvir qualquer som. Queria silêncio para que pudesse pensar.

Hoje ainda preciso de um pouco mais de silêncio em meu devocional matinal do que Dave. Mas ambos encontramos uma forma de começar bem nosso dia. Ajustamos nosso coração e nossa mente para seguir ao Senhor. E isso funciona.

9 DE JANEIRO

Atente ao Propósito de Deus

Ao homem que (reverentemente adora e) teme ao Senhor, ele o instruirá no caminho que deve escolher. Na prosperidade repousará a sua alma. A intimidade [a agradável e satisfatória companhia] do Senhor é para os que o temem (reverenciam e adoram), aos quais Ele dará a conhecer a sua aliança.

SALMOS 25.12-14

É Deus quem nos desperta toda manhã. Se Ele não nos sustentar com vida durante a noite, não importa que tipo de despertador tenhamos! O profeta disse: "Ele desperta-me todas as manhãs, desperta-me o ouvido para que ouça como aqueles que aprendem" (Isaías 50.4 – ARC).

Antes de sair da cama, incline seu ouvido àquilo que Deus tem a lhe dizer. Será um bom dia se você o começar com um ouvido atento, passando tempo ouvindo a Deus. Ele anseia revelar Seu plano de hoje para você.

10 DE JANEIRO

Espere Algo Novo

De manhã, Senhor, ouves a minha voz; de manhã te apresento a minha oração e fico esperando.

SALMOS 5.3

Se você se levanta e faz a mesma coisa toda manhã, pode tornar-se extremamente entediado após um mês. Mas buscar a Deus ao despertar nunca é enfadonho. Ele sempre tem uma nova revelação pronta para você ouvir.

Mantenha a expectativa renovada ao diversificar o que faz em seu tempo com Deus. Você pode adorá-lo com um cântico em uma manhã; ouvir música cristã em outra; ler a Palavra de Deus na próxima; sentar-se à sua Presença e confessar sua Palavra na seguinte. Deixe o Espírito Santo guiá-lo à medida que você aprende a desfrutar o fato de começar seu dia com Deus.

Começando Bem Seu Dia

11 DE JANEIRO

Formando Bons Hábitos

Ponde, pois, estas minhas palavras no vosso coração e na vossa alma... falando delas assentados em vossa casa, e andando pelo caminho, e deitando-vos, e levantando-vos. Escrevei-as nos umbrais de vossa casa e nas vossas portas, para que se multipliquem os vossos dias... e sejam tão numerosos como os dias do céu acima da terra.

DEUTERONÔMIO 11.18-21

Esperar pela direção de Deus cada dia é algo que a princípio talvez você tenha que se obrigar a fazer, mas pela prática irá se tornar natural começar seu dia dessa maneira. Novos hábitos são formados ao sermos perseverantes. Buscar a Deus em primeiro lugar cada manhã logo será algo que você não conseguirá deixar de fazer.

Quando Deus queria que seu povo se lembrasse de algo, Ele lhe dizia para escrever. Você pode ter lembretes pela sua casa sobre buscar ao Senhor para ajudá-lo com esse novo propósito. Mas seja persistente em buscar a Deus em primeiro lugar todo dia, e Ele tornará seus caminhos bem-sucedidos (veja Josué 1.7-9).

12 DE JANEIRO

Desejando a Presença de Deus

Com minha alma suspiro de noite por ti [oh, Senhor] e, com o meu espírito dentro de mim, eu te procuro diligentemente; porque [somente], quando os teus juízos reinam na terra, os moradores do mundo aprendem justiça (retidão e posição correta diante de Deus).

ISAÍAS 26.9

Se estivermos muito famintos, procuraremos algo para comer. E se não comermos antes de sair de casa, iremos a uma lanchonete ou restaurante, ou ligaremos a algum "disque-entrega" para que nos traga alguma comida.

Se estivermos bastante famintos por Deus, encontraremos uma forma de entrar em Sua Presença. Devemos ser tão *famintos* pela Presença de Deus que absolutamente não sairemos de nossa casa ou tentaremos resolver qualquer coisa até passarmos algum tempo com Ele.

13 DE JANEIRO

Não Seja Tão Ocupado

As misericórdias do Senhor são a causa de não sermos consumidos, porque as suas [ternas] misericórdias não têm fim, renovam-se a cada manhã. Grande é a tua fidelidade.

LAMENTAÇÕES 3.22-23

Se estivermos atarefados demais para passar tempo com Deus, então, simplesmente, seremos pessoas muito ocupadas e praticamente abriremos a porta para uma catástrofe em nossa vida. Precisamos pedir a Deus que nos mostre as coisas das quais devemos nos livrar e que não estão produzindo qualquer fruto em nossa vida.

Em Sua Palavra, Deus diz: "Desperta, ó tu que dormes, levanta-te de entre os mortos, e Cristo te iluminará (fará o dia alvorecer sobre você)... vede prudentemente como andais, não como néscios, e sim como sábios (viva com propósitos)... remindo o tempo [aproveitando cada oportunidade], porque os dias são maus" (Efésios 5.14-16). Deus quer que sejamos fortalecidos na força do Seu Poder e estejamos sempre cheios do Espírito Santo.

14 DE JANEIRO

Ore e Aguarde

Faze-me ouvir, pela manhã, da tua graça, pois em ti confio; mostra-me o caminho por onde devo andar, porque a ti elevo a minha alma.

SALMOS 143.8

Precisamos orar e, então, parar e ouvir. Algumas vezes, Deus falará com uma voz mansa e suave no profundo do nosso coração. Outras vezes, Ele falará por meio do nosso testemunho interior para que "simplesmente conheçamos" a verdade, e ela nos coloque em liberdade. Subitamente saberemos o que devemos ou não devemos fazer.

O rei Davi tinha muito a dizer sobre buscar a Deus pela manhã. Ele orava e, então, vigiava e aguardava para que Deus falasse ao seu coração. Gosto de saber que Deus está ouvindo nossas orações. E Ele gosta de saber que também aguardamos para ouvir suas respostas.

Começando Bem Seu Dia

15 DE JANEIRO

Prossiga Com o Que Você Sabe

Sacia-nos de manhã com a tua benignidade, para que cantemos de júbilo
e nos alegremos todos os nossos dias.

SALMOS 90.14

Nesta manhã, ore: "Senhor, estou esperando pela Tua direção". Enquanto você honra a Deus ao aguardar Sua resposta, poderá ouvi-lo falar algo específico imediatamente. É como se Ele imprimisse em seu espírito uma direção para este dia. O diabo pode lhe dizer que não é realmente Deus quem está falando ou que você está perdendo seu tempo enquanto aguarda.

É importante conhecer a verdade da Palavra de Deus para que a direção que Ele semeia em seu coração não seja arrancada pela dúvida. Deus pode não exibir uma visão completa para todo o seu dia, mas Ele dirigirá seu caminho, à medida que você O reconhecer em todas as suas veredas (veja Provérbios 3.6).

16 DE JANEIRO

Seja Feliz

O Senhor é a minha força e o meu cântico, porque ele me salvou. Nas tendas
dos [inflexivelmente] justos há voz de júbilo e de salvação; a destra do Senhor
(age corajosamente e) faz proezas.

SALMOS 118.14-15

A felicidade é o resultado de um relaciona mento radical e profundo com Deus. Se quisermos caminhar em vitória, temos de investir tempo em nosso relacionamento com o Senhor. Há muito a descobrir sobre seus planos para nós.

Nossa felicidade não durará se não obedecermos a Deus ao buscá-lo com todo o nosso coração. Deus quer que realmente falemos com Ele e atentemos às suas respostas. Passe tempo suficiente com Ele nesta manhã para caminhar em vitória durante todo o dia de hoje.

17 DE JANEIRO

Dê Tempo Pessoal

Digo, porém: andai [habitualmente] no Espírito [Santo] [responsivo, controlado e guiado pelo Espírito] e jamais satisfareis à concupiscência da carne (da natureza humana sem Deus).

GÁLATAS 5.16

Muitos crentes dão seu tempo ao serviço a Deus, mas deixam de passar tempo pessoal na presença dele. Deus quer que habitemos nele, não apenas que o visitemos ocasionalmente. Jesus disse: "Se vocês permanecerem em minha palavra [se guardarem meus ensinos e viverem de acordo com eles], verdadeiramente serão meus discípulos" (João 8. 31 – AMP).

Jesus verdadeiramente habitará e se estabelecerá permanentemente em seu coração! A Presença dele o levará a estar profundamente enraizado em amor para que você possa experimentar desse amor e ser cheio da plenitude de Deus em todo o seu ser (veja Efésios 3. 17-19 – AMP).

18 DE JANEIRO

Receba Pela Fé

Agora, pois, se achei graça aos teus olhos, rogo-te que me faças saber neste momento o teu caminho, para que eu te conheça [progressivamente me torne mais profunda e intimamente familiarizado contigo, percebendo-Te, conhecendo-Te e compreendendo-Te mais forte e claramente] e ache graça aos teus olhos... Respondeu-lhe: A minha presença irá contigo, e eu te darei descanso.

ÊXODO 33.13-14

Tudo o que recebemos de Deus vem pela fé.

Quando você está esperando que Ele fale ao seu coração, apenas creia que Ele *falará*, ainda que você não ouça nada imediatamente.

Creia que, pelo fato de reconhecer Deus, pode esperar ver a mão dele se movendo em sua vida durante todo o dia. Então prossiga sabendo que Ele o manterá no caminho certo porque você Lhe pediu para fazê-lo. Observar a mão de Deus agindo em nosso favor é um dos maiores prazeres da vida.

19 DE JANEIRO

Não Persiga as Bênçãos

Bem-aventurado (feliz, afortunado, admirável) aquele a quem escolhes e aproximas de ti, para que assista nos teus átrios; ficaremos satisfeitos com a bondade de tua casa – o teu santo templo.

SALMOS 65.4

Em vez de buscarmos intensamente as bênçãos, precisamos buscar a Deus. Se buscarmos a Deus, Ele nos alcançará com suas bênçãos. Eis por que o Reino de Deus, algumas vezes, é chamado de "Um reino ao contrário".

O sistema de Deus não funciona da forma que pensamos. As primeiras coisas são as últimas, e as últimas vêm em primeiro lugar. Se quisermos ter mais, devemos dar algo do que já temos. Para ser grande no Reino de Deus, devemos servir às necessidades dos outros. E, se quisermos bênçãos, devemos tirar nossa mente disso. Deus sabe o que queremos e do que precisamos. Ele quer nos conceder bênçãos que ainda nem mesmo Lhe pedimos.

20 DE JANEIRO

Não Desfaleça

Então, ele me disse: A minha graça (Meu favor, benignidade e misericórdia) te basta (é suficiente contra qualquer perigo e o capacita a suportar o problema corajosamente), porque meu poder, se aperfeiçoa (cumpre-se e se completa) na fraqueza.

2 CORÍNTIOS 12.9

Afaste-se e passe algum tempo com Deus antes que você perca as forças. Não importa quão forte seja sua saúde, não importa que idade você tenha, não importa o que pensa que sabe: sem Deus, você se tornará fraco e cansado.

Deus não se cansa, e a Palavra diz que Ele faz forte o cansado e aumenta as forças daqueles que não têm nenhum vigor. Mas aqueles que esperam, procuram, aguardam e têm sua esperança no Senhor, serão renovados (veja Isaías 40.29-31). Deus deseja aumentar sua força. Passe com Ele o tempo que for necessário para que você seja fortalecido.

JOYCE MEYER

21 DE JANEIRO

Espere Pelo Senhor

Guarda os preceitos do Senhor, teu Deus, para andares nos seus caminhos, para guardares os seus estatutos, e os seus mandamentos, e os seus juízos, e os seus testemunhos, como está escrito na Lei de Moisés, para que prosperes em tudo quanto fizeres e por onde quer que fores...

1 Reis 2.3

Quando você orar, espere pelo Senhor. Isso significa aguardar, contar com e ter confiança em Deus. Essa não é uma posição passiva, mas uma posição de expectativa.

Diga-lhe: "Deus, mantenho minha esperança em Ti. Creio que Tu estás trabalhando em meus problemas. Creio que Tu estás cuidando dos detalhes do meu dia. Estás colocando anjos por todo o meu caminho, por todo o lugar onde Tu sabes que terei de passar hoje. Obrigado, Deus, porque Tu já foste à minha frente e abriste o caminho para que eu tenha um dia abençoado".

22 DE JANEIRO

Senhor, Que Temos Para Hoje?

Faze-me, Senhor, conhecer os teus caminhos, ensina-me as tuas veredas. Guia-me na tua verdade e ensina-me, pois tu és o Deus da minha salvação, em Ti (por Ti somente e completamente) eu espero (com grande expectativa) todo o dia.

Salmos 25.4-5

Comece seu dia dizendo: "Estou empolgado com este dia, Deus. Mal posso esperar para ver o que Tu vais fazer. Creio que irás me guardar, me ajudar, me abençoar e me mostrar o Teu favor. Eu Te amo, Pai. Estou esperando em Ti, Pai, e estou pronto para Te ouvir".

Peça a Deus para colocar em seu espírito tudo o que Ele quer que você saiba. Peça-Lhe para mostrar as coisas que acontecerão e o que você deve fazer (veja João 16.13). Ele lhe dará direção, e você terá muitos motivos para louvá-lo pelo dia de hoje.

Começando Bem Seu Dia

23 DE JANEIRO

Seja Renovado

Deus escolheu... as coisas fracas do mundo para envergonhar as fortes; e Deus escolheu(deliberadamente) as coisas humildes do mundo, e as desprezadas, e aquelas que não são, para reduzir a nada as que são; a fim de que ninguém se vanglorie [tenha a pretensão de gloriar-se] na presença de Deus.

1 CORÍNTIOS 1.27-29

Se você está fraco na fé ou em sua mente, no seu corpo, em sua disciplina, em seu autocontrole ou em sua determinação, simplesmente espere em Deus. Ele se faz forte por intermédio das suas fraquezas.

Isaías 40.31 ensina que se você esperar em Deus, aguardar e tiver confiança nele, será transformado e renovado em sua força e poder; você correrá, e não se cansará, nem se fatigará. A Bíblia **não** diz "Espere, e talvez..." ou "Pode ser que..."; mas a Palavra afirma que você *será* renovado.

24 DE JANEIRO

Ele o Recompensará

Arrependei-vos (mudem sua mente e propósito), pois, e convertei-vos [a Deus] para serem cancelados (apagados, purificados) os vossos pecados, a fim de que, da presença do Senhor, venham tempos de refrigério (recuperação dos efeitos do calor, vivificando-os com ar fresco).

ATOS 3.19-20

Os princípios do sucesso não funcionarão automaticamente em sua vida se você não passar tempo com Deus, permitindo que Seu Santo Espírito seja o seu Conselheiro e lhe dê a revelação e a compreensão do que fazer cada dia. Mas, se você fluir no plano de Deus, aprenderá a parar de tentar imaginar como tudo cooperará para o seu bem.

Aprenda a buscar a face e não as mãos (as bênçãos) de Deus a todo o momento. Então, mantenha suas próprias mãos abertas e esteja pronto a receber dele. Deus é bom; você pode confiar naquilo que Ele disser ao seu coração para fazer.

25 DE JANEIRO

Invista Em Alguém

O ímpio pede emprestado e não paga [pois talvez não tenha condições]; mas o [inflexivelmente] justo, porém, se compadece e dá [pois tem capacidade para fazê-lo].
SALMOS 37.21

Aproveite as chances do dia de hoje e invista na vida de alguém, especialmente se Deus lhe diz para fazê-lo. Você pode dar-lhe algo de valor e, talvez, perceber que ele o desperdiçará como sempre fez. Mas lembre-se de que Deus investiu em você, e Ele quer que você deseje investir também em outras pessoas.

Jesus morreu para dar uma chance *a todos*. Nem todos se apropriam de sua provisão, mas todos têm a mesma oportunidade de desfrutar a vida abundante. Se você ajudar a uma pessoa e ela não aproveitar a chance da maneira correta, isso é entre ela e Deus. Dê graças pelo fato de você ser capaz de dar, e então faça o que Deus lhe diz para fazer.

26 DE JANEIRO

Deus o Guardará

Eu sou pobre e necessitado, porém o Senhor cuida de mim; tu és o meu amparo e o meu libertador; não te detenhas, ó Deus meu!
SALMOS 40.17

Deus tem um plano para cada um de nós, e as boas coisas que nos acontecem não são simplesmente uma coincidência. Toda boa dádiva e todo dom perfeito vêm de Deus (veja Tiago 1.17). É empolgante ter um relacionamento com Deus quando estamos conscientes de que Ele está cuidadosamente nos conduzindo às Suas bênçãos.

Se você não compreender logo da primeira vez algo que Deus lhe diz, Ele lhe dará outra chance e continuará a ensiná-lo até que você saiba claramente o caminho que deve seguir. Jesus veio buscar e salvar aqueles que estavam perdidos (veja Lucas 19. 10). Isso significa que Ele o encontrará se você se confundir e se perder.

Começando Bem Seu Dia

27 DE JANEIRO

Ame a Deus Em Primeiro Lugar

Vinde e vede as obras de Deus: tremendos feitos para com os filhos dos homens!

SALMOS 66.5

Nós damos atenção àquilo que amamos mais. Deus quer ser o primeiro em nossa vida (veja Êxodo 20.3). Jesus disse: "Amarás o Senhor, teu Deus, de todo o teu coração, de toda a tua alma e de todo o teu entendimento. Este é o grande e primeiro mandamento" (Mateus 22.37-38).

O que poderá acontecer em sua vida se você se tornar tão determinado a buscar a Deus que contratará uma babá para cuidar de seus filhos, ou usará um dia de folga somente para passar tempo com o Senhor? Você *não pode* se permitir não passar tempo com Deus. Dê-Lhe sua plena atenção e, então, observe cuidadosamente tudo o que Ele está fazendo por você.

28 DE JANEIRO

Confesse a Provisão de Deus

Quanto ao mais, sede fortalecidos no Senhor [através da sua união com Ele] e na força do seu poder [aquela força que seu ilimitado poder fornece].

EFÉSIOS 6.10

Quando sua fé parece fraca, peça a Deus que lhe mostre como orar. A Bíblia diz claramente em Judas 1.20-21 e em 1 Coríntios 14.2-4 que, quando você ora no Espírito Santo, é edificado, ou seja, você edifica-se a si mesmo em sua fé santíssima. Orar no Espírito o levará a fazer progresso, e a orientação do Espírito o guardará e conservará cheio de expectativa e paciência, aguardando pela misericórdia de Deus para abençoar seu dia.

Não há desculpas para alguém se afundar em dúvida e incredulidade, quando Deus tem nos dado do seu próprio Espírito para nos encher de fé por meio da oração e do tempo passado na presença dele. Hoje, comece confessando o que você possui em Deus. Declare que suas necessidades são supridas porque a Palavra o diz (veja Filipenses 4.19).

29 DE JANEIRO

Mantenha Sua Paz

Tão-somente, pois, temei ao Senhor e servi-o fielmente de todo o vosso coração; pois vede quão grandiosas coisas vos fez.
SALMOS 12.24

Tenha paz, mantenha seus olhos em Deus. Fique sozinho por um tempo para relacionar-se com Ele. Se você tiver de entrar no quarto e ajoelhar-se à beira de sua cama para encontrar quietude, faça-o! Então, considere tudo o que Deus tem feito por você.

Jesus lhe diz para entrar no secreto do seu quarto quando orar ao Pai, e Ele o recompensará abertamente pelo tempo que passou com Ele (veja Mateus 6.6). Não perca as bênçãos abundantes de Deus para sua vida!

30 DE JANEIRO

Prepare-Se Para Amar Outros

Vai alta a noite, e vem chegando o dia. Deixemos (coloquemos de lado), pois, as obras das trevas e revistamo-nos [totalmente] das armas da luz.
ROMANOS 13.12

Antes que seu pé toque o chão pela manhã, coloque toda a armadura de Deus para que você possa vencer todos os dardos inflamados do inimigo (veja Efésios 6.13-17). Coloque o cinto da verdade, a couraça da justiça e a preparação do evangelho da paz.

Não deixe o diabo roubar sua paz pela manhã. Comece falando com Deus antes de sair da cama. Diga-lhe: "Eu Te amo, Pai, e preciso da Tua ajuda hoje. Por favor, fortalece-me para caminhar no fruto do Espírito. Ajuda-me a caminhar em amor durante todo o dia. Ajuda-me a manter meus pensamentos em Ti, Senhor".

Começando Bem Seu Dia

31 DE JANEIRO

Desfrutando a Firme Confiança

Em paz me deito e logo pego no sono, porque, Senhor, só tu me fazes repousar seguro.

SALMOS 4.8

Algumas pessoas sentem que a vida delas é uma verdadeira confusão emocional, mas elas têm direito à estabilidade. Há estabilidade, paz e poder na presença de Deus. As pessoas não precisam deixar suas emoções controlá-las; elas podem aprender como habitar no esconderijo do Altíssimo.

A Palavra diz: "O que habita no esconderijo do Altíssimo e descansa à sombra do Onipotente [cujo poder nenhum inimigo pode resistir] diz ao Senhor: Meu refúgio e meu baluarte (fortaleza), Deus meu, em quem [seguramente] confio (de quem dependo e em quem me apóio)" (Salmos 91:1-2).

Eis por que devemos habitar nesse lugar onde experimentamos a presença do Todo-Poderoso.

1º DE FEVEREIRO

Espere Com Um Propósito

Também a minha alma [assim como meu corpo] está profundamente perturbada; mas tu, Senhor, até quando [quando responderás e falarás de paz a mim]? Volta-te, Senhor [para meu alívio], e livra a minha alma; salva-me por tua graça.

SALMOS 6:3-4

Evite ser negativo quando olha para suas circunstâncias. Aguarde com expectativa que Deus lhe dê forças para andar no fruto do Espírito (Gálatas 5.22-23). Espere de forma determinada; silenciosamente atente à voz do Senhor, aguardando intensamente que Ele aja.

Diga-lhe: "Pai, recebo força para ser Teu embaixador e testemunha. Tua Palavra diz para amar as pessoas que me maltratam. Embora seja difícil fazê-lo humanamente, recebo de Ti força para amar hoje". Então aguarde pela oportunidade de agir de forma bondosa enquanto Ele lhe dá forças para fazê-lo.

2 DE FEVEREIRO

Seja Proativo

Volta-te para mim e compadece-te de mim; concede a tua força (poder e inflexibilidade contra a tentação) ao teu servo.

SALMOS 86.16

Jesus alertou Seus discípulos sobre tudo que Ele iria passar porque sabia que seria difícil também para eles. Ele lhes disse: "Orai, para que não entreis em tentação" (Mateus 6.13; 26.41). Ele não disse: "Esperem para orar *somente quando forem tentados*, ou ao caírem em tentação, ou quando estiverem enterrados até o pescoço no pecado e na perversão"! Jesus nos ensina que devemos ser proativos, o que o dicionário Webster define como "agir em antecipação a problemas, necessidades ou mudanças futuras".

Muitos israelitas já tinham morrido pelas mordidas de serpentes antes que o restante finalmente pedisse: "Ore por nós, Moisés, pois temos pecado" (Números 21.4-9 – AMP). Eles deveriam ter reconhecido sua necessidade pela ajuda de Deus muito antes! Não espere até que esteja em problemas para buscar a Deus. Peça-Lhe que o impeça de cair em tentação hoje.

3 DE FEVEREIRO

Deus o Fortalecerá

A minha alma, de tristeza, verte lágrimas; fortalece-me segundo [as promessas da] tua palavra. Afasta de mim o caminho da falsidade [a Ti] e favorece-me com a tua lei.

SALMOS 119-28-29

Precisamos ser fortalecidos e renovados diariamente em nosso físico, em nossa mente e em nossas emoções. Precisamos ser fortes para que não nos abalemos todas as vezes que enfrentarmos alguma situação que não planejamos.

Jesus é o mesmo ontem, hoje e para sempre. Ele quer que desenvolvamos estabilidade em nossa vida. Podemos ser fortalecidos e renovados quando buscamos fortalecimento do Senhor, ao exercitarmos nossa fé e fazer o que Ele nos diz.

Começando Bem Seu Dia

4 DE FEVEREIRO

Esteja Seguro

Eu te amo, ó Senhor, força minha. O Senhor é a minha rocha, a minha cidadela, o meu libertador; o meu Deus, o meu rochedo em que me refúgio; o meu escudo, a força da minha salvação, o meu baluarte.

SALMOS 18.1-2

Deus pode nos fortalecer a tal ponto que poderemos avançar mesmo durante as tribulações. O salmista disse a seu respeito: "Ele faz os meus pés como os da corça [capaz de permanecer firmemente ou *avançar* mesmo nas perigosas alturas de provação e problemas]... O Senhor tem me revestido de força para a batalha" (Salmos 18. 33, 39 – grifo da autora).

As tribulações e provações não chegam para que percamos a estabilidade. Elas são oportunidades para provar a força do Senhor. Não temos de oscilar em nossa confiança. Ninguém nos impedirá de avançarmos hoje, porque Deus é nossa força.

5 DE FEVEREIRO

Seja Forte

O Senhor é a minha força e o meu escudo [impenetrável]; nele o meu coração confia, nele fui socorrido; por isso, o meu coração exulta, e com o meu cântico o louvarei. O Senhor é a força do seu povo, o refúgio salvador do seu ungido.

SALMOS 28.7-8

Podemos nos programar para enfrentar o cansaço antes mesmo de nos sentirmos fatigados. Eu já sabia que ficaria totalmente esgotada física e emocionalmente após minhas conferências. Então eu orava para que, à medida que investisse minha energia e minha força para servir ao Senhor, Ele trouxesse mais energia e força de volta para mim.

A Bíblia diz que *dar* significa *semear* uma semente que trará uma colheita (Gálatas 6.7-10). Se dermos nossa força, colheremos a força de Deus. Devemos esperar uma colheita de força em nossa vida enquanto servimos ao Senhor. Ele nos ungirá com força hoje, se Lhe pedirmos para fazê-lo.

6 DE FEVEREIRO

Faça Ajustes

Por isso mesmo, vós, reunindo toda a vossa diligência [quanto às divinas promessas], associai com a vossa fé a virtude [excelência, resolução, energia cristã]; com a virtude, o conhecimento (inteligência).

2 PEDRO 1.5

Algumas vezes temos de fazer uns poucos ajustes em nosso estilo de vida para seguir a sabedoria. Talvez tenhamos que dizer *não* a tantas atividades. Hebreus 11.1 ensina que a fé é a certeza de coisas que ainda não vemos no momento. Mas, como Deus, podemos chamar à existência "todas as coisas que não são, como se já fossem" (Romanos 4.17). Esse princípio espiritual se aplica tanto no sentido negativo quanto positivo. Assim, talvez precisemos fazer alguns ajustes quanto às coisas que dizemos.

Se você sente que é difícil levantar-se pela manhã, não diga: "Estou muito cansado"! Remova toda palavra de fraqueza, cansaço, vacilação, derrota e esgotamento de seu vocabulário. Em vez disso, diga: "Porque o Senhor é minha força, posso fazer o que for preciso neste dia".

7 DE FEVEREIRO

Deus o Ajudará

O Senhor dá força [inabalável impenetrável] ao seu povo, o Senhor abençoa com paz ao seu povo.

SALMOS 29.11

Deus tem me mostrado que precisamos estar conscientes da presente provisão dele *agora*, e não no *futuro*. No Salmo 28.7, Davi disse a respeito de Deus: "Nele sou socorrido; por isso, o meu coração exulta, e com o meu cântico o louvarei". Ele não disse: "*Serei* socorrido".

Espere no Senhor, porque a ajuda dele o fortalecerá para que você se comporte de maneira agradável a Ele durante todo o dia, se você confiar nele. Mesmo enquanto aguarda até que Deus manifeste seu plano, seu coração pode se alegrar muito na presença dele. Diga a alguém algo de bom que Deus tem feito por você e, então, veja Deus mover-se em meio ao seu louvor.

Começando Bem Seu Dia

8 DE FEVEREIRO

Ofereça-se a Si Mesmo Livremente

Porque nós somos para com Deus o bom perfume de Cristo.
2 Coríntios 2.15

A Bíblia diz que toda manhã o povo de Deus trazia-Lhe ofertas voluntárias. Eles ofereciam vários sacrifícios, tais como animais, grãos e cereais (veja Êxodo 35). Deus quer que ofereçamos nossa vida num dedicado serviço a Ele.

A Bíblia diz que Deus se agrada com nosso sacrifício de louvor (veja Hebreus 13.15) e que nossas orações sobem diante dele como um sacrifício de aroma suave. Ele quer que cheguemos diante dele toda manhã e digamos: "Senhor, aqui estou, quero ser um sacrifício vivo".

9 DE FEVEREIRO

Sacrifique-se para Servir

Dai, e dar-se-vos-á; boa medida, recalcada, sacudida, transbordante, generosamente vos darão; porque com a medida com que tiverdes medido vos medirão também.
Lucas 6.38

Você sabe o que o texto de Romanos 12.1 significa quando diz que devemos nos oferecer como sacrifício vivo? Isso quer dizer que devemos ser vivificados com todo o poder, zelo e entusiasmo que qualquer pessoa nascida de novo deve ter. Isso significa que devemos estar empolgados sobre Jesus. Devemos oferecer nossa boca, nossos pensamentos, nossas palavras, nossas atitudes, nosso corpo, nossas mãos e nossos pés para que Ele use-os continuamente em seu ministério.

Isso pode significar que não obteremos tudo o que quisermos na vida, mas tudo que deixarmos por causa do evangelho, Jesus disse que receberíamos cem vezes mais nesta vida (veja Marcos 10.29-30). Desfrute as bênçãos de Deus agora. Ofereça-se para servir e observe as bênçãos de Deus retornando.

10 DE FEVEREIRO

Sacrifícios de Louvor

Por isso, hoje, saberás e refletirás no teu coração que só o Senhor é Deus em cima no céu e embaixo na terra; nenhum outro há.

DEUTERONÔMIO 4.39

Louvar a Deus faz com que seu dia comece da maneira certa. Comece agradecendo a Deus logo que você sair da cama pela manhã. Hebreus 13.15 (AMP), diz: "Vamos constantemente e em todos os momentos oferecer a Deus um sacrifício de louvor, o qual é o fruto dos lábios que graciosamente reconhecem, confessam e glorificam seu nome".

Jesus disse: "Aquele que crê em mim, como dizem as Escrituras, de seu interior fluirão rios de água viva" (João 7.38). Reconheça ao Senhor e beba dessa água viva.

11 DE FEVEREIRO

Entre por Suas Portas

Ao Senhor, teu Deus, temerás; a ele servirás, a ele te chegarás e, pelo seu nome, jurarás. Ele é o teu louvor e o teu Deus, que te fez estas grandes e temíveis coisas que os teus olhos têm visto.

DEUTERONÔMIO 10.20-21

Não é bom nos sentirmos irritados quando acordamos. Reclamar não nos levará à presença de Deus. O Salmo 100.4 diz que entramos em suas portas com ações de graças e em seus átrios com louvor. Sem ações de graça nem mesmo passamos pela porta! Se quisermos entrar na presença de Deus, temos de deixar de lado toda murmuração e lamentação.

Uma atitude irritada pode impedi-lo de desfrutar a presença de Deus. Toda manhã lembre-se de tudo o que você tem para agradecer a Deus e, então, comece seu dia louvando-o por tudo o que Ele tem feito em sua vida.

Começando Bem Seu Dia

12 de Fevereiro

Dê Algo

Também o Senhor dará o que é bom, e a nossa terra produzirá o seu fruto. A justiça irá adiante dele, cujas pegadas ela transforma em caminhos.

SALMOS 85.12-13

Deus é o supremo ofertante. Ele espera nada menos que sigamos seu exemplo. Eu o desafio a dar algo cada dia em sua vida. Você pode pensar que ficará sem nada se fizer isso, mas, se você der de acordo com a orientação de Deus, logo receberá tanto que terá de resolver onde poderá guardar tudo.

Deus lhe dá pão para comer e semente para semear (veja 2 Coríntios 9.10). Algumas coisas que Deus lhe dá são como sementes para que você semeie na vida de outros. Peça a Deus que lhe mostre o que Ele quer que você dê.

13 de Fevereiro

Viva Generosamente

Ao que retém o trigo [quando as pessoas precisam dele], o povo o amaldiçoa, mas bênção [de Deus e dos homens] haverá sobre a cabeça do seu vendedor. Quem procura o bem alcança favor [de Deus].

PROVÉRBIOS 11.26-27

Creio profundamente em viver num estilo de vida "generoso". Fui uma pessoa egoísta por anos antes de finalmente perceber que a alegria vem ao dar e tocar outras pessoas. Não precisamos ter medo de perder nossos bens ou acabar sem nada, porque a Palavra de Deus é confiável.

Você sentirá verdadeira alegria quando começar a pensar sobre como pode abençoar outra pessoa. Consagre essa oferta a Deus, dizendo: "Senhor, eu me entrego a Ti. Renovo o meu voto e meu compromisso em obedecer-Te. Quero permanecer forte em Ti, por isso busco Tua face. Abençoa-me e faz com que eu seja uma bênção para os outros".

14 DE FEVEREIRO

Abençoe Alguém

E não nos cansemos (nem desfaleçamos ou desanimemos de agir nobremente e) de fazer o bem, porque a seu tempo (e na estação própria) ceifaremos, se não desfalecermos (nem perdermos a nossa coragem).

GÁLATAS 6.9

A Palavra diz: "Portanto, cada um de nós agrade (faça feliz) ao próximo no que é bom para edificação [fortalecendo-o e edificando-o espiritualmente]" (Romanos 15. 2 – AMP).

Isso me diz que precisamos ter nossa mente *cheia* de maneiras de abençoar as pessoas. Logo de manhã, pense em algo que você quer fazer para abençoar alguém, naquilo que pode fazer para surpreender alguém ou torná-lo mais feliz. Você ficará maravilhado de quão rapidamente Deus o orientará sobre algo bom que você pode fazer por alguma pessoa. A alegria vem quando nos tornamos canais de Deus para abençoarmos o próximo.

15 DE FEVEREIRO

Seja Honesto com Deus

Lavo as mãos na inocência e, assim, andarei, Senhor, ao redor do teu altar, para entoar, com voz alta, os louvores e proclamar as tuas maravilhas todas.

SALMOS 26.6-7

Cada manhã precisamos estar limpos para nos aproximarmos de Deus. Se há algo de errado entre nós e Deus quando tentarmos orar e entrar na presença dele, isso nos impedirá até que lidemos honestamente com o assunto. Deus quer que confessemos nossas falhas. Tenho descoberto através dos anos, em meu ministério, ao lidar com outras pessoas e também ao lidar com minha própria carne, que realmente não gostamos de confrontar o nosso mau procedimento quando deveríamos fazê-lo.

A maioria de nós gosta de dar desculpas, mas desculpas nos mantêm no engano. Uma desculpa é uma justificativa recheada com uma mentira. A Bíblia diz que a verdade nos libertará (João 8.32). Honestidade com Deus nos tornará livres para desfrutarmos todo o nosso dia.

Começando Bem Seu Dia

16 DE FEVEREIRO

Receba Misericórdia

Todas as veredas do Senhor são misericórdia e (amor inabalável, fidelidade e) verdade para os que guardam a sua aliança e os seus testemunhos.

SALMOS 25.10

Os israelitas ficaram no deserto porque não entendiam que seus pecados eram a causa de seus próprios problemas. Eles acusaram a Moisés, a Deus e a tudo mais por seus sofrimentos. Eles se recusaram a assumir a responsabilidade por seus pecados, e sua indisposição em se arrepender os impediu de entrar na terra da promessa.

Quando você falar com Deus, certifique-se de que pediu perdão: "Se nós [livremente] admitirmos que temos pecado e confessarmos nossos pecados, Ele é fiel e justo (verdadeiro em sua própria natureza e promessas) e perdoará nossos pecados [deixará de lado a ilegalidade que cometemos] e [continuamente] nos purificará de toda injustiça [tudo o que não está em conformidade com a sua vontade em propósito, pensamento e ação]" (1 João 1.9). Arrependa-se pela manhã para desfrutar a misericórdia, o perdão e o amor de Deus durante todo o dia.

17 DE FEVEREIRO

Receba as Dádivas de Deus

Se quiserdes e me ouvirdes (fordes obediente), comereis o melhor desta terra.

ISAÍAS 1.19

Que vantagem há em termos um copo com água se não pudermos bebê-lo? Nossa sede não será saciada até que o façamos. Jesus disse: "Se alguém está com sede, venha a mim e beba"! (João 7.37). Ele disse que se tivermos qualquer tipo de necessidade, teremos de Lhe pedir o que queremos e, então, o *receberemos*. As boas coisas de Deus estão disponíveis para aqueles que simplesmente se rendem a Ele e aceitam Suas bênçãos e Sua misericórdia.

As pessoas pedem perdão a Deus, mas se esquecem de dizer: "*Recebo* o perdão agora mesmo; creio que estou perdoado". A misericórdia é um dom gratuito. Você não consegue obtê-la por meio das suas realizações, não pode merecê-la e nem comprá-la. A única coisa que você pode fazer é *recebê-la*. Apenas humilhe-se e aceite o perdão de Deus.

18 DE FEVEREIRO

Abunde em Graça

Deus pode fazer-vos abundar em toda graça, a fim de que, tendo sempre, em tudo, ampla suficiência, superabundeis em toda boa obra.

2 CORÍNTOS 9.8

Minha definição para a palavra *obter* é conquistar algo por meio de luta e esforço, e a palavra *receber* significa agir como receptáculo e simplesmente apropriar-se do que é oferecido. Podemos *receber* misericórdia, graça, força, perdão e amor de Deus. Este é um novo dia e a misericórdia de Deus é renovada cada manhã (veja Lamentações 3.22-23).

Podemos ter um começo novo em folha hoje. Permita que a misericórdia de Deus o fortaleça e o cure antes de começar sua rotina. Receba Seu poder curador e deixe Sua graça operar em você. Hoje pode ser um dia vivido de forma fácil se você depender da graça de Deus para fazer o que Ele o chamou para fazer.

19 DE FEVEREIRO

Aproximando-se do Trono de Deus

Acheguemo-nos, portanto, confiadamente, junto ao trono da graça (o trono do imerecido favor de Deus a nós, pecadores), a fim de recebermos misericórdia e acharmos graça [por nossas falhas] para socorro em ocasião oportuna [socorro apropriado, no tempo adequado, vindo justamente quando precisamos dele].

HEBREUS 4.16

Que grande Sumo Sacerdote temos em Jesus! Ele compreende nossas experiências e sabe o que é viver num corpo humano. Ele enfrentou os mesmos tipos de tentação que enfrentamos, mas nunca pecou.

Ele sabe que o tentador fica nos espreitando e que precisamos de misericórdia e força. Falhamos mesmo quando temos as melhores intenções de fazer o bem. Deus nos diz para *recebermos*, e não para nos *esforçarmos para obter* sua misericórdia cada dia.

Começando Bem Seu Dia

20 DE FEVEREIRO

Seja Transformado

Agora, porém, despojai-vos [completamente], igualmente, de tudo isto: ira, indignação, maldade, maledicência, linguagem obscena do vosso falar... e vos revestistes do novo homem que se refaz [num contínuo processo] para o pleno conhecimento, segundo a imagem (a semelhança) daquele que o criou.

COLOSSENSES 3.8,10

Se você quer que sua vida seja diferente, ore para receber o poder transformador de Deus. Simplesmente diga: "Deus, por favor, perdoa meus pecados e me transforme na pessoa que queres que eu seja. Sei que estás trabalhando em minha vida agora mesmo, porque estou Te buscando. Tu disseste que se eu permanecer em Tua Palavra e chegar-me à Tua presença serei transformado de glória em glória à Tua própria imagem. Obrigado, Pai, por me transformar hoje".

Crer que Deus está trabalhando para transformá-lo fará com que isso se manifeste de forma concreta em sua vida.

21 DE FEVEREIRO

Simplesmente Creia

... a fim de sermos para louvor da sua glória, nós, os que de antemão esperamos em Cristo [os que de antemão colocamos nossa confiança nele fomos destinados para viver para o louvor de sua glória].

EFÉSIOS 1.12

No mundo natural, você não crê em algo até que possa vê-lo. Mas, ao orar, você tem de crer que o recebeu, e então obterá a manifestação disso. No Reino de Deus, você primeiramente tem de crer, e então verá.

Jesus disse: "... e tudo quanto pedirdes em oração, crendo, recebereis." (Mateus 21.22). O ouvido de Deus está inclinado para aqueles que oram em fé. Pedro foi o único que caminhou sobre as águas ao lado de Jesus, mas também foi o único que saiu do barco. Até que você tome a decisão de crer e agir de acordo com isso, nada acontecerá.

22 DE FEVEREIRO

Livre-se das Desculpas

Invoco o Senhor, digno de ser louvado, e (portanto) serei salvo dos meus inimigos.

SALMOS 18.3

Em Deuteronômio 7.1-2, Deus instruiu seu povo a destruir completamente seus inimigos. Eles não deveriam mostrar qualquer misericórdia. Quando Deus nos diz que é tempo de lidar com atitudes negativas e erradas, devemos nos livrar de nossas desculpas. Não devemos mais argumentar: "Bem, todas as pessoas são negativas, por que eu deveria ser diferente"?

Vença algumas coisas em sua vida hoje. Livre-se de maus hábitos e atitudes negativas e prossiga para o futuro que Deus planejou para sua vida. Ore: "Deus, por favor, ajuda-me a mudar. Mostra a raiz do meu problema e como superá-lo. Quero mudanças positivas em minha vida".

23 DE FEVEREIRO

Desfrute o Perdão

Bem-aventurado (feliz, afortunado, admirável) o homem a quem o Senhor não atribui iniquidade e em cujo espírito não há dolo.

SALMOS 32.2

Se não estamos vivendo da forma que Deus nos instrui, seremos miseráveis até que confessemos nossos pecados. Ao expormos abertamente nossas falhas diante de Deus, Ele nos dará o poder de sermos livres *dos* nossos pecados: "BEM-AVENTURADO (FELIZ, afortunado, admirável) aquele cuja iniquidade é perdoada, cujo pecado é coberto." (Salmos 32.1).

A Palavra diz que Deus deseja a verdade em nosso íntimo (Salmos 51.6); portanto, precisamos ser honestos conosco e com Deus, se quisermos desfrutar a bênção do seu perdão. Peça ao Senhor que lhe mostre o que necessita ser mudado em sua vida e confie no poder perdoador de Deus para continuamente operar tais mudanças em você.

Começando Bem Seu Dia

24 de Fevereiro

Busque a Deus Bem Cedo

Tendo-se levantado alta madrugada, saiu, foi para um lugar deserto e ali orava.

MARCOS 1.35

Quando Jesus nos disse para *permanecermos* nele e em Sua Palavra, Ele usou a palavra grega *meno*, que na concordância de Strong é traduzida como "continuar, habitar, perseverar, estar presente, permanecer, posicionar-se, demorar". Devemos passar tempo com Deus continuamente. Quando o fazemos, entramos no fluir do seu plano para o nosso dia.

Não lemos que devemos simplesmente *desejar* que tudo corra bem, mas que devemos *buscar* a Deus por uma palavra nova cada dia. Se o buscarmos logo pela manhã, teremos "uma palavra na estação apropriada" para compartilhar com os outros (veja Provérbios 15.23). Podemos ser bem-sucedidos naquilo que Deus nos chamou para fazer se ouvirmos suas instruções. Ele disse: "Eu amo os que me amam; os que me procuram (cedo e diligentemente) me acham" (veja Provérbios 8.17).

25 de Fevereiro

Passe Tempo Sozinho com Deus

Tu, porém, quando orares, entra no teu quarto e, fechada a porta, orarás a teu Pai, que está em secreto; e teu Pai, que vê em secreto, te recompensará (publicamente).

MATEUS 6.6

Jesus acordava bem cedo para ficar sozinho com Deus, mas Pedro o buscou para fazê-lo saber que todos estavam procurando por Ele (veja Marcos 1.35-36). Quando você quer ficar sozinho para orar, parece que todos pensam em procurá-lo. Jesus buscava tempo sozinho com Deus para que pudesse se fixar nos propósitos do Pai.

Vemos o cenário de Jesus orando sozinho e, então, satisfazendo, frequentemente, a necessidade dos outros. Jesus atravessou a Galiléia pregando e expulsando demônios. Quando um leproso pediu para ser limpo, Jesus o tocou e a lepra o deixou completamente (veja Marcos 1.39-42). Se Jesus precisava ficar sozinho com o Pai antes de ministrar aos outros, assim devemos fazê-lo.

26 DE FEVEREIRO

Fale de Acordo com os Pensamentos de Deus

Ouvi, pois falarei coisas excelentes; os meus lábios proferirão coisas retas.

PROVÉRBIOS 8.6

Um dos nossos maiores erros é que, às vezes, respondemos muito rapidamente às pessoas, apenas dando-lhes algo que sai da nossa própria mente. Somente um tolo expressa tudo o que sente (veja Provérbios 29.11). Aqueles que falam muito e precipitadamente acabam sempre entrando em problemas, como a Bíblia diz: "Alguém há cuja tagarelice é como pontas de espada, mas a língua dos sábios é medicina". (Provérbios 12.18).

Jesus agia com sabedoria. Ele sempre sabia dizer a coisa certa no momento certo, e isso surpreendia a todos. Se não passarmos tempo suficiente com Deus, diremos a coisa errada na hora errada. Decida esperar em Deus antes de expressar seus pensamentos hoje.

27 DE FEVEREIRO

Encha-se com a Verdade

Porque a mim se apegou com amor, eu o livrarei; pô-lo-ei a salvo, porque conhece o meu nome [tem um conhecimento pessoal de minha misericórdia, amor e bondade; crê e confia em mim, sabendo que nunca o abandonarei, não, nunca].

SALMOS 91.14

Não deixe o diabo apoderar-se de seus pensamentos logo pela manhã. Comece bem cedo a viver seu dia da maneira certa. Assim que acordar, diga a Deus que você O ama. Diga que você precisa dele e depende dele. Leia Sua Palavra e confesse Suas promessas enquanto você se prepara para o dia de hoje.

Ouça mensagens de ensino enquanto você se dirige para o trabalho. Encha-se com o conhecimento da verdade. Não faça comentários pessimistas antes que o dia nem mesmo comece. Em vez disso, diga: "Sou a justiça de Deus em Cristo, eu me alegro em todas as coisas".

Começando Bem Seu Dia

28 DE FEVEREIRO

Permaneça em Concordância com Deus

Conhece o Deus de teu pai [tenha um conhecimento pessoal, seja familiarizado, aprecie, atente e estime-o]
e serve-o de coração íntegro e alma voluntária; porque o Senhor esquadrinha todos os corações e
penetra todos os desígnios do pensamento. Se o buscares [inquirindo dele e por Ele, e desejando-o
como sua primeira e mais vital necessidade], Ele deixará achar-se por ti.

1 Crônicas 28.9

A Palavra de Deus revela um plano maravilhoso para sua vida. Ela mostra como Deus o vê e o que Ele tem para você por intermédio de Jesus Cristo. Mantenha seus pensamentos e suas palavras em concordância com a Palavra de Deus.

Diga: "Tudo em que eu colocar minhas mãos prosperará e será bem-sucedido. Sou cabeça, e não cauda; estou em cima, e não embaixo. Sou abençoado ao entrar e ao sair. As bênçãos de Deus me perseguem e me alcançam. Deus está do meu lado. Sou abençoado para ser uma bênção para todos aqueles que encontrar hoje".

29 DE FEVEREIRO

Obedeça Rapidamente

Replicou-lhes Jesus: Em verdade, em verdade vos digo: não foi Moisés quem vos deu o pão do
céu; o verdadeiro pão do céu é meu Pai quem vos dá.

João 6.32

Jesus disse que devemos pedir a Deus o pão de *cada dia* (veja Mateus 6.11). Ele também chamou a Si mesmo de "Pão da Vida" (veja João 6.35). Busque a direção de Deus pela manhã para colher a Palavra diária dele para sua vida. Você se sentirá alimentado durante todo o dia. Obedeça rapidamente se Deus lhe disser para fazer algo.

Mesmo se Deus lhe der uma tarefa difícil, não se intimide nem protele o assunto durante todo o dia. Abraão acordou cedo para oferecer Isaque no altar; e Deus abençoou a sua obediência e proveu o sacrifício aceitável no lugar de Isaque (veja Gênesis 22.1-14). Davi acordou cedo na manhã em que iria matar Golias, e por intermédio de Deus libertou os israelitas de seus inimigos (veja 1 Samuel 17.20-53). Ele o abençoará e o libertará também.

1º DE MARÇO

Livre-se dos Laços de Escravidão

Vejam isso os aflitos e se alegrem; quanto a vós outros que buscais a Deus,
que o vosso coração reviva.
SALMOS 69.32

Se ainda está difícil começar o seu dia da forma certa, faça esta oração: "Pai, tenho lutado para passar tempo me relacionando Contigo e lendo Tua Palavra. Sei que me relacionar Contigo não é uma lei, é um privilégio, é algo que beneficia minha vida. Oro para que todo laço de escravidão e as mentiras de Satanás que me impedem de ter um tempo a sós em oração e comunhão com Deus sejam quebrados em minha vida.

Ajuda-me a ver claramente que isso é algo que devo fazer para viver em vitória. Oro por uma unção que me atraia à Tua presença e me leve a buscar intensamente a Ti. Ajuda-me a conseguir começar da forma certa cada manhã."

2 DE MARÇO

Desperte com Louvor

Com júbilo nos lábios, a minha boca te louva, no meu leito, quando de ti me recordo e em ti
medito, durante a vigília da noite. Porque tu me tens sido auxílio.
SALMOS 63.5-7

Muitas pessoas nunca têm um final apropriado para o seu dia porque deixam o inimigo impedi-las de começar da maneira certa. Satanás tenta capturar nossos pensamentos logo pela manhã. Ele quer nos manter pensando em todas as coisas erradas logo que despertamos. Seu intento é roubar nossa paz e nos atormentar assim que o despertador soa. Ele sempre trabalha com artimanhas para nos manter atormentados.

Eis por que é importante aprender como derrotar o diabo logo ao despertar, cada dia. Cada manhã é uma nova oportunidade para começar seu dia da maneira certa. Louve a Deus logo que seus olhos se abrirem para um novo dia.

Começando Bem Seu Dia   41

3 DE MARÇO

Apegue-se a Deus

A minha alma apega-se a ti; a tua destra me ampara.
SALMOS 63.8 ARC

A Palavra de Deus tem muito a dizer sobre as manhãs. Davi começava seu dia orando e ouvindo a Deus. Ele instruiu os sacerdotes a se levantarem cada manhã dando graças e louvor ao Senhor, e da mesma forma ao anoitecer. Ele dizia: "O Senhor tem dado paz e descanso ao seu povo" (veja 1 Crônicas 23.25-30).

Muitas vezes, oramos e oramos, mas, como Ló, nunca paramos para ouvir. Por exemplo, os anjos alertaram Ló pela manhã para que fugisse de Sodoma e evitasse a destruição que se aproximava (veja Gênesis 19.15). Podemos evitar desastres quando aguardamos as instruções de Deus antes de agir.

Um grande começo leva a um grande final. Comece seu dia com ações de graças e louvor, e à noite, antes de se deitar, agradeça a Deus novamente pelo grande dia que teve.

4 DE MARÇO

As Respostas Virão

Espera (tenha esperança e expectativa) pelo Senhor, tem bom ânimo (coragem, bravura), e fortifique-se o teu coração; espera, pois, pelo Senhor.
SALMOS 27.14

Eu costumava acordar desejando que já fosse noite, e à noite desejava que já amanhecesse; enfim, não desfrutava minha vida. Agora procuro viver um dia de cada vez. Deus organizou a vida em um período de 24 horas: dormimos por um tempo e, então, acordamos restaurados para começar tudo novamente. Deus planejou que cada manhã fosse um começo novo em folha, uma nova oportunidade.

Podemos ir para cama nos sentindo sem esperanças e desanimados, pensando: *Simplesmente não aguento mais.* Mas, de alguma forma, uma boa noite de descanso nos renova, e despertamos com fé outra vez, pensando: *Talvez hoje um milagre aconteça, e eu tenha uma resposta. Posso enfrentar mais um dia.* Assim, agradeça a Deus por cada amanhecer.

5 DE MARÇO

Fale Vida

A morte e a vida estão no poder da língua; o que bem a utiliza come do seu fruto.
PROVÉRBIOS 18.21

Se em nosso ambiente de trabalho fazemos mexericos sobre nosso chefe e conversamos sobre como detestamos nosso trabalho e como aquele lugar é horrível, teremos um dia ruim. A Bíblia diz: "Do fruto da boca o coração se farta, do que produzem os lábios se satisfaz (seja bom ou ruim)". (Provérbios 18.20)

Literalmente, teremos de engolir nossas palavras, portanto precisamos falar sobre as coisas certas para sermos felizes. Se murmurarmos e fofocarmos, comeremos frutos de morte. Mas, se falarmos palavras de vida, comeremos o fruto do Espírito (veja Mateus 12.37). Escolha comer um bom fruto hoje.

6 DE MARÇO

Esteja Preparado

Que é que o Senhor requer de ti? Não é que [reverentemente] temas o Senhor, teu Deus, e andes em todos os seus caminhos, e o ames, e sirvas ao Senhor, teu Deus, de [toda tua mente] todo o teu coração e de toda a tua alma.
DEUTERONÓMIO 10.12

Murmurar (reclamar) é morte; *agradecer* é vida.

Contudo, há pessoas que reclamam em seu caminho para a igreja e esperam receber bênçãos chegando ali. Mas não compreendem que murmurar as impede de obter o que elas desejam. Elas não vêm preparadas para receber as bênçãos na presença de Deus.

Prepare-se para as bênçãos ao agradecer pelo que Deus já tem feito em sua vida. A Palavra diz: "Por tuas palavras você será justificado e absolvido, e por tuas palavras será condenado e sentenciado" (Mateus 12.37– AMP). Escolha suas palavras sabiamente hoje e prepare-se para as bênçãos de Deus.

Começando Bem Seu Dia

7 DE MARÇO

Adore o Senhor com Todo o seu Coração

Clamarei ao Deus Altíssimo, ao Deus que por mim tudo executa [que tem seus propósitos e certamente os executa em minha vida]!

SALMOS 57.2

Grandes líderes de adoração sabem entrar na presença de Deus com todo o seu ser, dando graças e louvores a Ele (veja Deuteronômio 10.12). Eles não apenas pulam da cama, lavam o rosto e arrumam o cabelo antes de irem à igreja. Eles sabem que a unção vem de uma busca sincera e amorosa por Deus com todo o seu coração.

Da mesma forma, quando você se aproxima de Deus pela manhã, venha a Ele com o coração cheio de adoração, expressando sua consciência pela fidelidade dele em sua vida. Ele promete que nunca o abandonará, mas estará com você durante todo o seu dia (veja Josué 1.5).

8 DE MARÇO

Encontre um Momento Tranquilo

O temor do Senhor é límpido e permanece para sempre; os juízos do Senhor são verdadeiros e todos igualmente, justos. São mais desejáveis do que ouro, mais do que muito ouro depurado; e são mais doces do que o mel e o destilar dos favos.

SALMOS 19.9-10

Algumas vezes, separo um dia inteiro apenas para ficar com o Senhor. Interrompo tudo para buscar a presença dele. Sei que não ouvirei a Deus se não me aquietar de forma determinada durante aquele tempo separado para Ele.

É importante ter algum "tempo de pausa" para ficar sozinho e apenas se aquietar. Você pode pensar que não tem tempo, mas, se alguém estivesse distribuindo milhares de dólares num shopping, você encontraria tempo para estar ali. Não use o tempo com Deus para pensar em outras coisas; apenas aquiete-se e incline sua atenção ao Senhor.

9 DE MARÇO

Prolongue seus Dias

Eis que os olhos do Senhor estão sobre os que o temem [que o reverenciam e adoram conscientemente], sobre os que esperam (por Ele) na sua misericórdia (e benignidade), para livrar-lhes a alma da morte, e, no tempo da fome, conservar-lhes a vida.

SALMOS 33.18-19

Quando falo sobre buscar a Deus logo pela manhã, muitas pessoas pensam que terão de acordar às três da madrugada! Não estou tentando dizer *como* você deve fazê-lo, nem mesmo estou sugerindo que você ore durante uma hora. Simplesmente estou dizendo que você deve encontrar tempo para buscar a sabedoria de Deus pela manhã se quer começar seu dia da forma certa.

Tempo com Deus acrescentará anos à sua vida! Deus deseja nos dar sabedoria e compreensão do que a sua Palavra diz: "Porque por mim [pela Sabedoria vinda de Deus] se multiplicam os teus dias, e anos de vida se te acrescentarão" (Provérbios 9.11).

10 DE MARÇO

Reabasteça-se com Paz

O Senhor é quem vai adiante de ti; ele será contigo, não te deixará, nem te desamparará; não temas, nem te atemorizes (não fique deprimido, desanimado ou alarmado).

DEUTERONÔMIO 31.8

Muitas vezes, crentes com adesivos cristãos em seus carros são vistos dirigindo por aí como pessoas descontroladas, gritando com seus filhos, gesticulando nervosamente e parecendo desequilibrados diante do mundo. Se não há qualquer paz em nosso coração quando saímos de casa, nossos adesivos não irão impressionar ninguém. Precisamos nos equilibrar antes de sairmos.

Ore: "Minha alma [assim como meu corpo] está bastante perturbada e atormentada. Mas, Senhor, até quando [quando que Te voltarás e falarás de paz a mim]" (Salmos 6.3 – AMP). Deixe Deus reabastecê-lo com paz.

Começando Bem Seu Dia

11 DE MARÇO

Coloque Deus em Primeiro Lugar

Buscai (almejai e ansiai), pois, em primeiro lugar, (por) o seu reino e a sua justiça (sua maneira de fazer as coisas corretamente), e todas estas coisas vos serão acrescentadas.

MATEUS 6.33

Tenho aprendido que passar tempo com Deus é uma necessidade vital em minha vida. Não posso fazer o que fui chamada a fazer se não buscar a presença de Deus cada dia. Se não tiver tempo para Deus em primeiro lugar, nada mais em minha vida funciona.

Deus não está feliz com o segundo ou o terceiro lugar em nossa vida. Quando estamos desesperados o suficiente, encontramos tempo para buscar a Deus. Desligamos o telefone, dizemos *não* aos nossos amigos, desviamos nosso rosto de todas as distrações e O buscamos. E é nesse momento que acontece algo que nos abençoa.

12 DE MARÇO

Vá Para o Seu Quarto!

E o enchi do Espírito de Deus, de habilidade, de inteligência e de conhecimento, em todo artifício.

ÊXODO 31.3

Meus filhos não gostaram quando comecei a passar tempo sozinha buscando a Deus. Eles diziam: "Você está sempre nesse quarto".

Um dia eu lhes disse: "Vocês fariam melhor em agradecer por me ver no quarto, porque isso tornará a vida de vocês muito melhor. Se vocês forem espertos, pedirão que eu vá para o quarto em vez de me pedirem que saia dali".

Da próxima vez em que você se encontrar gritando, reclamando, brigando ou esbravejando com seus filhos (ou qualquer outra pessoa), desculpe-se e diga: "Vou para o meu quarto". Passe um tempo perguntando a Deus o que Ele pensa de tudo o que está acontecendo. Você rapidamente endireitará seu dia.

13 DE MARÇO

Diminua a Velocidade

Deixo-vos a paz, a minha paz vos dou; não vo-la dou como a dá o mundo. Não se turbe o vosso coração, nem se atemorize (não se permitam serem agitados e perturbados; e nem estarem amedrontados, intimidados, acovardados e inquietos).

JOÃO 14.27

A pressa afeta sua vida espiritual. Jesus não era apressado. Não podemos imaginá-lo correndo e dizendo a seus discípulos: "Vamos, rapazes, levantem-se! Rápido, rápido, apressem-se! Deixem este acampamento limpo. Vamos para a próxima cidade, temos algumas pregações a fazer. Aprontem os camelos, depressa, vamos, vamos"! Quando pensamos em Jesus, o que nos vêm à mente é paz. Ele detinha-se o suficiente para ouvir a Deus durante todo o dia. Devemos sintonizar nossos passos com os dele hoje.

14 DE MARÇO

Seja Humilde

Tomai sobre vós o meu jugo e aprendei de mim, porque sou manso e humilde de coração; e achareis descanso (refrigério, alívio, tranquilidade, recreação e uma abençoada quietude) para a vossa alma.

MATEUS 11.29

Pessoas barulhentas não ouvem a Deus. Não ouvimos Sua voz quando fazemos muito barulho ou tudo ao nosso redor é barulhento. O único barulho que você pode ter pela manhã é o meu programa de TV! (Estou brincando!). Mas não ligue o rádio e a TV apenas para obter algum barulho.

Aprenda como se sentir confortável aquietando-se. A Bíblia diz: "Mas o que der ouvidos a mim [à sabedoria] habitará seguro, em segura confiança, tranquilidade e sem medo ou temor do mal" (Provérbios 1.33 – AMP).

Começando Bem Seu Dia

15 DE MARÇO

Detenha-se na Presença de Deus

Descansa no Senhor e espera nele.
SALMOS 37.7

Algumas vezes, em nossas conferências, apenas "permanecemos" na presença de Deus. Louvamos e adoramos a Ele, e logo desfrutamos o refrigério de seus prodígios e milagres.

Quando sentimos que Deus está trabalhando no coração das pessoas, não nos preocupamos com nossa programação ou agenda. Deixamos tudo de lado apenas para desfrutar seu admirável poder operando em meio ao seu povo. Muitos que chegaram sentindo-se mal são restaurados; doentes são curados durante esse tempo de adoração e permanência na presença do Senhor. Isso acontece sempre: há cura na presença de Deus.

Se você se sente desencorajado, Ele quer confortá-lo. Se você se sente cansado, Ele o fortalecerá. Apenas permaneça na presença dele e espere que Ele se mova em sua vida.

16 DE MARÇO

Fixe-se nas Promessas de Deus

Porque eu, o Senhor, teu Deus, te tomo pela tua mão direita e te digo:
Não temas, que eu te ajudo.
ISAÍAS 41.13

O Senhor te diz nesta manhã a mesma coisa que Ele disse a Jacó num sonho: "Estou com você e o guardarei (zelarei com cuidado e atentarei para você) onde quer que vá, e o trarei de volta a esta terra; pois não o deixarei até que tenha feito tudo que lhe disse" (Gênesis 28.15 – AMP). Mantenha sua mente nessa promessa a despeito de qualquer notícia que possa ouvir e que tente assustá-lo hoje.

Deus promete estar com você, cuidando de sua vida atentamente, zelando por você por onde quer que vá e trazendo-o de volta. Ele diz que nunca o deixará até consumar todas as promessas que lhe fez. Isso significa que nenhuma arma forjada contra você prosperará (veja Isaías 54.17).

17 DE MARÇO

Dedique-se Novamente ao Senhor

*Lembra-te [atentamente], Senhor, peço-te, de que andei diante de ti com fidelidade, com
inteireza de coração [inteiramente devotado a Ti), e fiz o que era reto aos teus olhos.*

2 REIS 20.3

"E Jacó despertou de seu sono e disse: Certamente o Senhor estava aqui e eu não sabia" (Gênesis 28.16). Muitas vezes, o Senhor está conosco e nem mesmo percebemos. Deus está com você mesmo quando as circunstâncias parecem fora de controle. Ele já está operando todas as coisas para o seu bem.

"Tendo-se levantado Jacó, cedo, de madrugada, tomou a pedra que havia posto por travesseiro e a erigiu em coluna (um monumento à visão que teve em seu sonho), sobre cujo topo entornou azeite [em consagração]" (versículo 18). Da mesma forma, devemos nos consagrar a Deus cada manhã.

18 DE MARÇO

Entregue-se Totalmente a Deus

*Antes que eu te formasse no ventre materno, eu te conheci, e, antes que saísses da madre, te
consagrei [como meu instrumento escolhido], e te constituí profeta às nações.*

JEREMIAS 1.51

Todos os dias, você precisa entregar-se inteiramente a Deus dizendo: "Senhor, eu sou Teu. Quero ser um vaso para o Teu uso. Consagro-me a Ti neste dia: entrego-Te, minhas mãos, minha boca, minha mente, meu corpo, meu dinheiro e meu tempo. Pai, aqui estou, sou Teu; faça comigo o que quiseres fazer hoje".

Uma vez que você se dedica a Deus, então prossiga com suas coisas. Mas fique atento à orientação do Senhor durante todo o dia. Ouça Sua voz dirigindo-o na maneira que você deve andar. Aceite o desafio de ser um instrumento para uso do Senhor hoje.

Começando Bem Seu Dia

19 DE MARÇO

Agarre Todas as Chances

Assim, observarei de contínuo a tua lei, para todo o sempre [ouvindo, recebendo,
amando e obedecendo Tua Palavra].

SALMOS 119.44

Você pode encontrar-se com Deus enquanto está na cama. Você não tem de estar num quarto particular, com a porta fechada, ajoelhado, para se encontrar com Ele. Você pode encontrar-se com Ele enquanto estiver debaixo do chuveiro, enquanto dirige para o trabalho ou quando preso num congestionamento.

Não estou sugerindo que você não deva separar tempo para Deus. Mas deve também tirar proveito de qualquer momento que tenha para que possa falar com Ele e ouvi-lo. Não espere para falar com Ele até que você tenha uma hora totalmente livre Aproveite cada momento que encontrar para abrir os ouvidos à voz de Deus. Tire proveito de todos os momentos vagos e tenha comunhão com Ele.

20 DE MARÇO

Faça um Novo Compromisso

Honra ao Senhor com os teus bens meios [provenientes de trabalho honestos] e
com as primícias de toda a tua renda; e se encherão fartamente os teus celeiros,
e transbordarão de vinho os teus lagares.

PROVÉRBIOS 3.9-10

A parábola dos talentos (veja Mateus 25.14-30) nos instrui a usar o que Deus nos dá para expandir o reino dele. Invista sua vida, seu tempo e seu dinheiro na obra do Senhor. Consagre novamente suas finanças a Deus hoje.

Faça um novo compromisso para ser um ofertante. Não deixe o diabo convencê-lo a não dar porque você tem dívidas a pagar, tentando deixá-lo preocupado. Em Mateus 6.25-34, Jesus disse para não ficarmos ansiosos com nada, pois Ele conhece nossas necessidades e promete cuidar de nós.

21 de Março

Consagre Seu Dinheiro

Deus pode fazer-vos abundar em toda graça (todo favor e bênção terrena), a fim de que, tendo sempre, em tudo, ampla suficiência, superabundeis em toda boa obra [possuir o suficiente para não precisar de ajuda ou apoio, e poder ter em abundância para toda boa obra e donativo caridoso].

2 Coríntios 9.8

O apóstolo Paulo disse que os crentes na Macedônia não somente deram seu dinheiro a Deus, mas deram a si mesmos ao serviço dele (veja 2 Coríntios 8.1-5). Paulo também deu sua vida em serviço ao povo de Deus.

Muitas pessoas querem receber tudo o que podem de Deus, mas não desejam Lhe dar tudo de si mesmas. Se você nunca se dedicou ao serviço do Senhor, está perdendo uma grande aventura. Dedique-se a Deus neste dia, e Ele o levará num caminho para a vitória.

22 de Março

Consagre Sua vida

O que me oferece sacrifício de ações de graças, esse me glorificará; e ao que prepara o seu caminho, dar-lhe-ei que veja a salvação de Deus.

Salmos 50.23

Quando ministro às pessoas, compartilho com elas a respeito de minha vida e de minha família. Falamos sobre nossas vitórias e fraquezas. Falamos sobre nossos erros, coisas tolas que fazemos e as coisas sábias que fazemos também. Damos o testemunho de nossa vida para ajudar os outros a viver vitoriosamente também.

Alguém precisa de você hoje. Dê sua vida a Deus e deixe que Ele lhe mostre quem precisa ser ministrado em nome dele. Dê a Deus tudo o que você é, tudo o que espera ser, todos seus sonhos, suas visões, esperanças e desejos. Torne tudo dele, e Ele mostrará seu poder por intermédio de sua vida.

23 DE MARÇO

Consagre Sua Boca

Proclamei as boas novas de justiça [novas de retidão e posição correta diante de Deus] na grande congregação; jamais cerrei os lábios, tu o sabes, Senhor.

SALMOS 40.9

O que aconteceria se toda manhã consagrássemos nossa boca a Deus para que somente coisas boas saíssem dos nossos lábios? O Salmo 34.13 diz: "Refreia a língua do mal e os lábios de falarem dolosamente".

Dedique sua boca a Deus e use-a somente para aquilo que o agrada: louvor, adoração, edificação, exortação e ações de graças. Coloque seus lábios no altar toda manhã. Consagre sua boca a Deus ao orar a própria Palavra: "Abre, Senhor, os meus lábios, e a minha boca manifestará os teus louvores." (Salmos 51.15).

24 DE MARÇO

Conheça a Deus Intimamente

Alegrai-vos sempre no Senhor; outra vez digo: alegrai-vos [deleitai-vos, satisfazei-vos nele].

FILIPENSES 4.4

Em Filipenses 3.10, o apóstolo Paulo escreveu: "[pois meu determinado propósito é] que eu possa conhecê-lo [que possa progressivamente tornar-me mais profunda e intimamente familiarizado com Ele, percebendo-o, reconhecendo-o e compreendendo as maravilhas da Sua pessoa, mais forte e claramente], e que eu possa, da mesma forma, vir a conhecer o poder abundante da sua ressurreição [a qual é enxertada nos crentes]".

Quando você cresce no conhecimento de Deus, fica tão feliz que isso afugenta o diabo de sua vida. Decida que este dia será dedicado a reconhecer o poder de Deus operando em sua vida. Mantenha sua mente naquilo que é correto, verdadeiro, amável, puro e de boa fama (veja Filipenses 4.8).

25 DE MARÇO

Comece com Louvor

Por meio de Jesus, pois, ofereçamos a Deus, sempre, sacrifício de louvor, que é o fruto de lábios que confessam (de forma agradecida, reconhecendo) o seu nome.

HEBREUS 13.15

Moisés acordou cedo, pela manhã, edificou um altar e ofereceu ofertas queimadas e pacíficas a Deus. Então orou e leu o livro da aliança (veja Êxodo 24.1-7).

Podemos dar graças, porque Deus não mais nos pede para edificar altares de pedras, sacrificar um novilho, derramar seu sangue e acender fogo para honrar ao Senhor com um sacrifício.

Hoje Deus não quer mais sacrifícios mortos. Ele nos quer, sacrifícios vivos, cheios de empenho em servi-lo cada dia. Tudo o que temos a fazer é acordar e dizer: "Obrigado, Senhor, eu Te dou meu sacrifício de louvor. Ofereço-Te minha própria vida como sacrifício vivo, pronto para viver para Ti hoje".

26 DE MARÇO

Seja um Embaixador de Deus

... e [orem] também por mim; para que me seja dada, no abrir da minha boca, a [liberdade da] palavra, para, com intrepidez, fazer conhecido o mistério do evangelho, pelo qual sou embaixador em cadeias [na prisão. Orem, para que, em Cristo, eu seja ousado para falar, como me cumpre fazê-lo.

EFÉSIOS 6.19-20

Se você começar seu dia corretamente, terá um dia melhor e será melhor testemunha para o Senhor. Dedique-se ao Senhor novamente cada manhã.

Diga-lhe: "Senhor, eu Te dou os dons e talentos que colocaste em mim. Quero usá-los para Tua glória. Quero levar pessoas a Ti. Coloque no meu caminho alguém a quem eu possa ministrar, alguém a quem eu possa encorajar. Ajuda-me a ser uma bênção para alguém hoje. Senhor, quero ser Teu embaixador e Teu representante neste dia".

Começando Bem Seu Dia

27 DE MARÇO

Petição com Ações de Graça

E a paz de Deus [será sua, esse tranquilo estado de uma alma assegurada de sua salvação através de Cristo, e que não teme nada; paz vinda de Deus. Estando satisfeito com sua porção terrena, de qualquer tipo que seja; esta paz], que excede todo o entendimento, guardará o vosso coração e a vossa mente em Cristo Jesus.

FILIPENSES 4.7

Podemos fazer petições a Deus por coisas que precisamos cada manhã. A Palavra de Deus nos diz para lançarmos nossas petições diante dele: "Não andeis ansiosos de coisa alguma; em tudo, porém, sejam conhecidas, diante de Deus, as vossas petições (pedidos definidos), pela oração e pela súplica, com ações de graças" (Filipenses 4.6).

Mas não passe todo seu tempo com Deus pedindo coisas. Você estará fora de equilíbrio se suas petições excederem seus momentos de louvor e ações de graça. Um coração cheio de gratidão tornará cada dia muito melhor.

28 DE MARÇO

Deus Iluminará Seu Dia

Propôs-se buscar a Deus... nos dias em que buscou (procurou, desejou) ao Senhor, Deus o fez prosperar.

2 CRÔNICAS 26.5

Jesus despertava de madrugada, bem antes do alvorecer, e saía para um lugar deserto, onde orava sozinho (Marcos 1.35). Havia tantas pessoas seguindo a Jesus por onde quer que fosse que, provavelmente, Ele não teria qualquer tempo sozinho se não acordasse realmente muito cedo.

Se você não é uma pessoa matutina, o pensamento de acordar cedo pode deixá-lo irritado. Mas você pode descobrir por si mesmo o que "cedo" significa para você. Nove da manhã pode ser cedo se você costuma ficar na cama até meio-dia. Mas, se você simplesmente acordar quinze minutos mais cedo do que de costume para ter algum tempo sozinho com Deus, ainda O honrará, e esse tempo com Ele tornará o seu dia mais iluminado.

29 DE MARÇO

Desfrute a Busca

Bem-aventurado (feliz, afortunado, admirado) é o que acode ao necessitado;
o Senhor o livra no dia do mal.

SALMOS 41.1

Você já sentiu que, não importa aonde vá, alguém sempre o procura e acha? Há sempre alguém precisando de alguma coisa toda vez que você começa a fazer o que precisa fazer? Alguém precisa de uma carona para escola ou esqueceu seu almoço, e, antes que você perceba, metade do seu dia já se foi.

Jesus sabe o que é ser procurado, mas Ele nunca se aborreceu com isso. Logo que ministrava a todos em certo lugar, Ele ia à cidade seguinte para encontrar mais pessoas que precisavam dele. Jesus nunca dizia: "Deixem-me em paz". Peça a Deus para ajudá-lo hoje a ver as necessidades das pessoas com os olhos de Jesus, e seus dias jamais serão perdidos.

30 DE MARÇO

Prepare-se para Ministrar

Preparas-me uma mesa na presença dos meus adversários, unges-me a cabeça com
óleo; o meu cálice transborda. Bondade e misericórdia certamente me seguirão todos
os dias da minha vida; e habitarei na Casa do
Senhor para todo o sempre.

SALMOS 23.5-6

Todos os dias oferecem oportunidades para "ministrarmos". Pessoas sempre precisam de alguma ajuda, mas você não ministrará bem se não se preparar, passando tempo com Deus. As pessoas percebem quando você teve momentos de intimidade com Deus recentemente e, também, quando não os teve.

O Senhor nos ungiu para satisfazermos as necessidades de outros, mas, se não estivermos cheios da sua presença, impediremos o fluir de Sua unção de cura em nossa vida. Busque a Deus logo pela manhã, antes que alguém telefone e peça sua ajuda.

Começando Bem Seu Dia

31 DE MARÇO

Operando em Sabedoria

Ó profundidade da riqueza, tanto da sabedoria como do conhecimento de Deus! Quão insondáveis (inescrutável, indecifrável) são os seus juízos (suas decisões), e quão inescrutáveis (misteriosos, encobertos), os seus caminhos (sua maneira de agir, suas veredas)!

ROMANOS 11.33

Sem sabedoria podemos tomar decisões lamentáveis e, mais tarde, nos perguntarmos por que não oramos antes de decidir. É sábio buscar a Deus toda manhã antes que comecemos a tomar decisões, para que possamos saber antecipadamente o que devemos fazer e, então, receber graça para fazê-lo. A sabedoria nos impede de termos uma vida cheia de decisões lamentáveis.

Jesus operava com sabedoria. Quando outros iam para casa descansar, Jesus ia para o Monte das Oliveiras passar tempo com Deus. E, bem cedo (de madrugada), Ele ia ao templo ensinar as pessoas (veja João 7.53-8.2). Jesus sempre passou tempo com o Pai antes de ministrar às multidões. Se Jesus precisava de tempo com Deus, precisamos muito mais. Caminhe em sabedoria hoje.

1° DE ABRIL

Perceba a Presença Constante de Deus

Ainda que o pecador faça o mal cem vezes, e os dias [aparentemente] se lhe prolonguem (em sua impiedade), eu sei com certeza que bem sucede aos que temem [reverentemente] a Deus (que o reverenciam e adoram, percebendo sua Presença constante).

ECLESIASTES 8.12

Você pode criar tal hábito de orar que já despertará pela manhã falando com Deus. Você pode adormecer à noite conversando com o Senhor e acordar no meio da noite ainda falando com Ele. A Palavra diz: "Orai sem cessar" (veja 2 Timóteo 1.3).

Tenho aprendido a começar meu dia com oração e permanecer orando durante todo o dia. Oro quando vejo alguém sofrendo, oro se não me sinto bem, oro quando me sinto inquieta.

Orar é conversar com Deus. É simplesmente tornar-se consciente da sua contínua presença e reconhece-lo em todos nossos caminhos. Se o fizermos, Ele promete dirigir nosso caminho a um lugar de paz e vitória (veja Provérbios 3.6).

JOYCE MEYER

2 DE ABRIL

Pare de Reclamar

Quem é sábio [se há alguma verdadeira sabedoria] atente para essas coisas e considere as misericórdias do Senhor.

SALMOS 67.43

Hoje agradeça a Deus e decida não reclamar. Peça-Lhe que mostre a você todas as vezes que estiver prestes a se lamentar e que o ajude a guardar sua boca. Hoje, agradeça por aquilo que você tem, sem pensar naquilo que ainda não tem. Algumas pessoas têm os mesmos problemas que você, mas não conhecem a Deus. Ao menos, você pode agradecer pelo fato de ter Deus em sua vida.

A Palavra diz: "(Não permitam) conversação torpe (obscena, indecente), nem palavras vãs ou chocarrices (coisas grosseiras, atrevidas), coisas essas inconvenientes (que não são adequadas); antes, pelo contrário, ações de graças (a Deus)". (Efésios 5.4 – AMP) Guarde sua língua hoje.

3 DE ABRIL

Ore Antes de Responder

Porque [certamente] não ousarei discorrer sobre coisa alguma, senão sobre aquelas que Cristo fez por meu intermédio [como um instrumento em suas mãos], para conduzir os gentios à obediência, por palavra e por obras.

ROMANOS 15.18

O Pai nos enviou um conselheiro, o Espírito da verdade, que nos ensina todas as coisas (veja João 14.16, 17,26). Enquanto permanecermos sensíveis à direção de Deus, Ele nos orientará. Se orarmos antes de falar, o Senhor nos impedirá de sobrecarregar nosso tempo ou de dar orientações erradas às pessoas.

Jesus passava tempo para ouvir o Pai antes de falar. Deus também nos dará "uma palavra no tempo apropriado" para orientarmos cada pessoa (veja Provérbios 15.23), se atentarmos à sua direção antes de darmos às pessoas aquilo que pensamos ser a resposta certa. Deus nos dará as palavras certas se atentamente buscarmos sua direção antes de falarmos.

Começando Bem Seu Dia

4 de Abril

Deseje Subir Mais Alto

Assim corro também eu, não sem meta; assim luto, não como desferindo golpes no ar. Mas esmurro o meu corpo [como um boxeador] e o reduzo à escravidão [tratando-o severamente, disciplinando-o duramente], para que, tendo pregado a outros, não venha eu mesmo a ser desqualificado [não suportando a prova, reprovado e rejeitado como um impostor].

1 Coríntios 9.26-27

Sono excessivo leva à ruína de muitos bons planos. Você pode ajustar o despertador para acordar cedo e orar, mas sua carne não estará disposta a se levantar mais cedo. Seu corpo quase sempre pedirá para dormir mais.

Não deixe sua carne roubar seu tempo com Deus. Almeje um alvo mais alto e acorde quando o relógio despertar para desfrutar os melhores minutos do seu dia.

5 de Abril

Comece a se Mover

Bendize, ó minha alma (louve afetuosamente e de forma grata), ao Senhor... quem enche a tua boca [tua necessidade e desejo em suas circunstâncias e situação pessoal]de bens, de sorte que a tua mocidade se renova como a águia [forte, conquistadora, elevada].

Salmos 13.1, 5 – ARC

Provérbios 6.4 diz: "Não dê sono [desnecessário] aos teus olhos, nem descanso às tuas pálpebras". A Bíblia está dizendo: "Durma o que for necessário, mas, então, desperte"! Muito sono traz pobreza. É como um ladrão que o rouba e o deixa desamparado (veja Provérbios 6.11).

Poucas horas de sono também arruinarão seu dia. Ficar cansado e mal-humorado não o ajudará a ouvir a Deus. Faça do descanso uma prioridade, mas, então, levante-se. Levante-se dizendo: "Obrigado, Senhor, porque estou vivo para outro dia contigo. Creio que sou ungido para fazer o que Senhor me pedir hoje. Minha mocidade é renovada como a da águia, assim como o Senhor prometeu".

6 DE ABRIL

Não Ame o Sono

Os meus olhos antecipam-se às vigílias noturnas (e desperto pelo brado do vigia), para que eu medite nas tuas palavras.

SALMOS 119.148

É interessante que nossa maneira popular de cumprimentar alguém pela manhã seja dizendo: "Bom-dia"! De alguma forma, alguém percebeu que, se começarmos bem pela manhã, teremos todo um dia bom.

Provérbios 20.13 diz: "Não ame o sono, ou cairás em pobreza; abra teus olhos e serás farto de pão". E o Salmo 57.8-9 nos encoraja a acordarmos prontos para cantar louvores: "Desperta, ó minha alma! Despertai, lira e harpa! Quero acordar a alva. Render-te-ei graças entre os povos; cantar-te-ei louvores entre as nações".

7 DE ABRIL

Faça Disso um Hábito

E digo isto a vós outros que conheceis o tempo [este momento crítico]: já é hora de vos despertardes do sono; porque a nossa salvação (libertação final) está, agora, mais perto do que quando no princípio cremos (confiamos, nos apegamos e nos apoiamos em Cristo, o Messias).

ROMANOS 13.11

A Palavra diz que Jesus tinha o hábito de subir ao monte para passar tempo com Deus. Lucas 22.39 diz: "E, saindo, foi, como de costume, para o monte das Oliveiras; e os discípulos o acompanharam". Jesus tinha o hábito de comunicar-se com Deus ao amanhecer.

Costuma-se dizer que se você faz algo consistentemente por trinta dias isso se tornará um hábito. Você pode criar ou quebrar um hábito por persistentemente fazer alguma coisa. Siga o exemplo de Jesus e crie o hábito de começar seu dia com oração.

Começando Bem Seu Dia

8 DE ABRIL

Busque a Presença de Deus

Uma coisa peço ao Senhor, e a buscarei [insistentemente]: que eu possa morar na Casa do Senhor [em sua presença] todos os dias da minha vida, para contemplar a beleza [a doce atração e deliciosa amabilidade] do Senhor e meditar no seu templo.

SALMOS 27.4

Quando, a princípio, me tornei cristã, não desejava orar tanto quanto faço agora. Embora passe tempo com Deus toda manhã, também passo tempo com Ele durante todo o dia. Parece que vivo em oração.

Em seu maravilhoso livro *Experiencing God through Prayer* (Experimentando Deus por intermédio da Oração), Madame Guyon disse que há uma diferença entre orar a Deus e experimentar a presença dele. A princípio, você deve se disciplinar a orar, mas finalmente mergulhará no amor de Deus e experimentará a presença contínua dele.

9 DE ABRIL

Ore em Todos os Lugares

Bem-aventurados (felizes, afortunados, admirados) os que habitam em tua casa (e em Tua Presença); louvam-te perpetuamente. Selá! (Pare e calmamente pondere sobre isso)!

SALMOS 84.4

Uma vez que você crie o hábito de passar tempo com Deus, sentirá falta desses encontros se começar seu dia sem falar e ouvir ao Senhor. Você pode passar tempo com Deus em qualquer lugar, mesmo fazendo alguma coisa, num supermercado ou limpando a casa, por exemplo. Tenho grandes encontros com Deus enquanto dirijo.

Deus está sempre atento ao som de sua voz chamando por Ele. Desenvolva um ouvido pronto a ouvi-lo também. Seja o que você fizer hoje, faça-o com o Senhor. Reconheça-O e fale com Ele sobre tudo. Você desfrutará grandemente a companhia dele.

JOYCE MEYER

10 DE ABRIL

Hoje Pode Ser "um Daqueles Dias"

Sede vigilantes, permanecei firmes na fé (sua convicção a respeito do relacionamento do homem com Deus e das coisas divinas, mantendo a confiança e santo fervor nascido da fé e como parte dela), portai-vos varonilmente, fortalecei-vos.

1 CORÍNTIOS 16.13

Você já teve um "daqueles dias" em que nada deu certo, contudo esteve hesitante em orar porque você não sabia o que Deus o levaria a fazer? Deus nem sempre pedirá que você faça algo; algumas vezes Ele apenas deseja falar com você.

Se Ele lhe pedir algo, Ele o ungirá para fazê-lo. Você desfrutará a presença do poder dele, e alguém será abençoado por sua obediência. Esses são os melhores dias de sua vida. Separe tempo para orar nesta manhã. Hoje pode ser "um daqueles dias" em que Deus terá uma missão especial para você.

11 DE ABRIL

Louve a Deus

Entrai por suas portas com ações de graças e nos seus átrios, com hinos de louvor; rendei-lhe graças e bendizei-lhe o nome.

SALMOS 100.4

Há muitas oportunidades para louvar a Deus no dia. Se a gratidão pelas muitas bênçãos que Ele tem lhe concedido subitamente surgir em seu coração, pare imediatamente e diga-Lhe quão grato você está por tudo o que Ele tem lhe dado.

Diga-lhe: "Eu Te adoro, Senhor, pois Tu és digno de ser louvado. Preciso de Ti, e apenas quero Te dizer que eu Te amo. Obrigado, Pai, por tudo".

Então prossiga com o que está fazendo como se o fizesse para Ele. Você ficará admirado com a forma como sua vida diária se tornará mais alegre na presença do Senhor.

Começando Bem Seu Dia

12 DE ABRIL

Seja Plenamente Satisfeito

Plantados na Casa do Senhor, florescerão nos átrios do nosso Deus. [Crescendo em graça] na velhice darão ainda frutos, serão cheios de seiva [vitalidade espiritual] e [ricos] de verdor [de confiança, amor e contentamento].

SALMOS 92.3-14

Muitas pessoas buscam bens e prêmios para preencher sua necessidade interior por satisfação. Mas nós podemos estar satisfeitos em tempos de escassez e abundância, na falta ou na fartura (Filipenses 4.12), quando aprendemos a desfrutar um relacionamento com Deus logo que acordamos.

Antes de despertar completamente, comece a falar com Deus. Apenas agradeça-Lhe por cuidar de você durante o dia de ontem e por estar com você hoje. Louve-O por ser seu provedor e por trabalhar em todas as situações de sua vida para o seu bem.

Peça-Lhe que o torne consciente da presença dele durante todo o dia. A paz enche seu coração quando sua mente está no Senhor. Nada é mais satisfatório do que caminhar com Deus.

13 DE ABRIL

Tenha um Coração Grato

Cada um se farta de bem pelo fruto da sua boca, e o que as mãos do homem fizerem ser-lhe-á retribuído [como uma colheita].

PROVÉRBIOS 12.14

Eu costumava viver com um contínuo senso de medo até pedir a Deus para me mostrar o que estava errado. Ele me disse as palavras "maus pressentimentos" e, então, me mostrou o que Sua Palavra diz sobre esse assunto: "Todos os dias do desalentado e aflito são maus [por causa de pensamento de ansiedade e maus pressentimentos], mas aquele que tem um coração satisfeito tem uma festa contínua [a despeito das circunstâncias]" (Provérbios 15.15 – AMP).

Pensamentos angustiantes tornam seu dia ruim. Se você espera ter um dia difícil, se sentirá infeliz. Maus pressentimentos arruínam o dia, mas a fé torna o coração satisfeito e traz resultados milagrosos. Se você quer ter um bom dia, eleve suas expectativas para estar em linha com a Palavra de Deus.

14 DE ABRIL

Não se Intimide

A mão diligente dominará, mas a remissa será sujeita a trabalhos forçados.
PROVÉRBIOS 12.24

Não passe o dia procurando algo fácil para fazer em vez de lidar com as coisas difíceis que precisam ser feitas. Faça as coisas difíceis em primeiro lugar, aquelas que de você menos gosta, e tire-as do caminho. Por exemplo, não olhe para suas tarefas menos atraentes e pense: *Farei isso mais tarde.* As tarefas difíceis o importunarão durante todo o dia e roubarão sua energia para fazer as coisas boas que você quer fazer.

O espírito de passividade roubará sua produtividade, mas você tem o poder de Deus em sua vida para vencer o adiamento e a protelação. Peça a Deus que o ajude a cumprir as tarefas de que você não gosta. Faça o que é mais importante em primeiro lugar, e logo isso não mais o perturbará ou arruinará seu dia.

15 DE ABRIL

Confie em Deus

Não duvidou (questionou), por incredulidade, da promessa de Deus; mas, pela fé, se fortaleceu, dando glória a Deus, estando plenamente convicto de que ele era poderoso para cumprir o que prometera.
ROMANOS 4.20-21

Ninguém acreditava que Davi derrotaria o gig ante, mas Davi não ficou desencorajado. Ele buscou o Senhor logo pela manhã, o que lhe deu confiança para fazer o que deveria ser feito naquele dia. Ao lutar e derrotar Golias, Davi correu rapidamente para o campo de batalha e proclamou a vitória no nome do Deus vivo (veja 1 Samuel 17.20-54).

Pessoas que se levantam cedo e buscam a Deus saem para fazer o que precisa ser feito com coragem. Peça a Deus confiança para derrotar qualquer gigante que se coloque contra o plano de Deus para você.

Começando Bem Seu Dia

16 DE ABRIL

Seja uma Bênção

Tu, Senhor, conservarás em perfeita paz aquele cujo propósito [tanto sua inclinação quanto seu caráter] é firme; porque ele confia [apóia-se e espera seguramente] em ti.

ISAÍAS 26.3

Gálatas 6.10 – AMP diz: "Por isso, enquanto tivermos oportunidade, façamos o bem a todos, mas principalmente aos da família da fé". O trecho de 2 Coríntios 10.5 diz para lançarmos fora conceitos e toda altivez e presunção que se exalta contra o conhecimento de Deus. Em outras palavras, mantenha sua mente nas promessas de Deus e no que é relevante para o plano do Senhor em sua vida.

Não deixe sua mente ser cativa pelo inimigo. Em vez disso, "leve cada pensamento e propósito cativo à obediência de Cristo". Decida ser uma bênção para todos que encontrar hoje. Perdoe àqueles que o machucam e deixe as circunstâncias sem solução nas mãos de Deus. Não use esse dia para reviver o dia de ontem. Diga: "Vou prosseguir hoje, no nome de Jesus".

17 DE ABRIL

Deus nos Dá Tudo de que Necessitamos

Em ti, pois, confiam os que conhecem o teu nome [que têm experimentado e são familiarizados com a tua misericórdia), porque tu, Senhor, não desamparas os que te buscam [procuram por Ti, na autoridade da Palavra de Deus e no direito de sua necessidade].

SALMOS 9.10

Em Sua Palavra, Deus nos dá as ferramentas de que precisamos para enfrentar cada novo dia. Ele tem nos dado "vestes de louvor, em vez de espírito angustiado" (Isaías 61.3). Assim, ao acordar pela manhã, decida que, não importa o que aconteça, você não ficará deprimido hoje.

Em primeiro lugar, coloque as vestes de louvor logo pela manhã. Ouça música de adoração, leia a Palavra e renove seus pensamentos mantendo-os em linha com o que Deus diz a seu respeito: que você é justo e abençoado. Você pode pensar, falar e agir da forma certa durante todo o dia se passar algum tempo com Deus antes que problemas surjam em seu caminho.

18 DE ABRIL

Algumas Coisas Nunca Acontecem

Tu me farás ver os caminhos da vida; na tua presença há plenitude de alegria,
na tua destra, delícias perpetuamente.

SALMOS 16.11

Muitas vezes ficamos preocupados com coisas que nunca acontecem. Satanás gosta de nos manter ansiosos sobre coisas que nem mesmo são problemas reais. Jesus disse: "O ladrão vem somente para roubar, matar e destruir. Eu vim para que tenham e desfrutem a vida, e a tenham em abundância (até a plenitude, até transbordar)" (João 10.10).

A Bíblia diz que o Reino de Deus é justiça, paz e alegria interior no Espírito Santo (veja Romanos 14.17). Quando fazemos de Jesus o Senhor do nosso coração, temos alegria em nossa vida. Satanás não tem o direito de roubá-la; portanto, desfrute a boa vida que Jesus pagou o preço para que você tenha.

19 DE ABRIL

Ame a Si Mesmo

A ninguém fiqueis devendo coisa alguma, exceto o amor com que vos ameis uns
aos outros; pois quem ama o próximo tem cumprido a lei. Evite dever ou apropriar-
se de qualquer coisa, exceto amar uns aos outros; pois quem ama o próximo
[que pratica o amor pelos outros] tem cumprido a lei.

ROMANOS 13.8

Jesus disse: "Amarás o teu próximo como a ti mesmo" (veja Mateus 19.19). Assim, precisamos ter um respeito saudável por nós mesmos se quisermos desfrutar nosso relacionamento com outras pessoas. Se não temos um amor equilibrado por nós mesmos, será difícil amar aos outros. A vida não é agradável se não pudermos desfrutar um bom relacionamento com outras pessoas, porque elas estão onde quer que formos!

Algumas vezes é difícil relacionar-se com as pessoas porque elas são muito diferentes de nós, mas são justamente as diferenças que nos fazem precisar uns dos outros. Deus nos projetou para precisarmos de relacionamentos e talentos que outras pessoas têm para oferecer. Faça algo agradável por alguém hoje. Deixe que ele saiba saber que você o aprecia.

Começando Bem Seu Dia

20 DE ABRIL

Relacione-se Bem com Outros

Mas os mansos (no final) herdarão a terra e se deleitarão na abundância de paz.

SALMOS 37.11

Podemos *aprender* a nos relacionar bem com as pessoas. É especialmente importante aprender a lidar com os familiares mais próximos e colegas de trabalho. Há muitos livros informativos sobre diferenças de personalidade para nos ajudar a compreender por que as pessoas sentem e reagem da maneira que o fazem. Esse entendimento ajuda a remover as barreiras de relacionamentos estremecidos.

Pessoas tomam decisões de formas diferentes. Alguns dão uma resposta imediata, enquanto outros, primeiramente, querem ter tempo para pensar sobre as coisas. Tente compreender as pessoas que você encontrar hoje. Peça a Deus que lhe mostre formas de relacionar-se bem com elas. Deus lhe concederá graça à medida que você confiar nele.

21 DE ABRIL

Mudança Positiva

Levai (suportai e carregai) as cargas uns dos outros e, assim, cumprireis a lei de Cristo (o Messias).

GÁLATAS 6.2

Nossa felicidade e alegria não dependem das outras pessoas fazerem ou não o que queremos. Podemos não conseguir influenciar alguém a fazer o que pensamos ser certo, mas, com a ajuda de Deus, podemos mudar a nós mesmos para obtermos os resultados que queremos na vida.

Descobri que, se eu mudar de forma positiva e se for uma mudança permanente, isso quase sempre provocará mudança nas pessoas ao meu redor. Se você quer que sua vida seja diferente, peça a Deus que lhe mostre em que você precisa mudar. Aceite os outros como são e veja como Deus trabalha em sua vida para completar sua alegria.

22 DE ABRIL

Viva Hoje em seu Pleno Potencial

... pois conheceis a graça de nosso Senhor Jesus Cristo (sua bondade, sua generosidade graciosa, seu imerecido favor e bênçãos espirituais), que, sendo[tão] rico, se fez [tão] pobre por amor de vós, para que, pela sua pobreza, vos tornásseis ricos (abundantemente supridos).

2 CORÍNTIOS 8.9

Eu costumava acordar sentindo-me culpada e condenada. Estava cheia de acusações e críticas por cada pequeno erro que cometia. Mas esse tipo de procedimento cria uma pressão interna em nós que fica prestes a explodir diante da primeira pessoa que se aproxima.

Se você sofre com isso, comece o dia lendo a Palavra. Conhecer a misericórdia e o perdão de Deus é vital para aprender a amar a si mesmo, para que você possa amar os outros. Viva o dia de hoje em seu pleno potencial.

23 DE ABRIL

Um Vaso Útil

Assim, pois, se alguém a si mesmo se purificar destes erros [daquilo que é vil e impuro, que se separar de influências contaminadoras e corruptas], será utensílio para honra, santificado e útil ao seu possuidor (o Senhor), estando preparado para toda boa obra.

1 TIMÓTEO 2.21

A Bíblia se refere a nós como vasos terrenos (2 Coríntios 4.7); somos feitos de barro (Isaías 64.8). Deus formou Adão do pó (veja Gênesis 2.7) e o Rei Davi disse: "Lembra-te Senhor, que nós somos pó" (veja Salmos 13.14).

Quando nos enchemos da Palavra de Deus, tornamo-nos contêineres de suas bênçãos, prontos para seu uso. Deus pode usar até mesmo vasos rachados! Todos nós somos preciosos para o Senhor. Podemos oferecer a verdade dele às pessoas por onde quer que formos.

Leia a Palavra de Deus antes de começar sua rotina hoje e veja quantas pessoas você pode abençoar com a verdade do Seu amor.

Começando Bem Seu Dia

24 DE ABRIL

Mostre Jesus

Antes, sede uns para com os outros benignos, compassivos, perdoando-vos (compassivamente, compreensivelmente e de todo o coração) uns aos outros [pronta e liberalmente], como também Deus, em Cristo, vos perdoou.

EFÉSIOS 4.32

Espero poder mostrar a todos o caráter de Jesus por meio de minhas palavras e atitudes. Oro para que todos que contatem nossa equipe ministerial possam dizer: "Essas pessoas são cheias de Jesus, são pacientes, amáveis e gentis".

Somos vasos que podem ser cheios do Espírito de Deus que habita em nosso coração, até transbordarmos. Se compreendermos que, onde quer que formos, podemos demonstrar o caráter e a virtude de Deus, seremos como a Palavra diz: luz em meio a um mundo de trevas (Filipenses 2. 15).

Jesus nos chamou de sal da terra (veja Mateus 5.13). O sal dá sabor àquilo que seria sem gosto e desagradável. Seja sal hoje, em seu lar, em seu trabalho, por onde quer que vá.

25 DE ABRIL

Permaneça Ligado

Assim brilhe também a vossa luz diante dos homens, para que vejam as vossas boas obras (sua excelência moral e atitudes nobres e dignas) e glorifiquem (reconheçam, honrem e louvem) a vosso Pai que está nos céus.

MATEUS 5.16

Jesus é a luz do mundo. Ele ilumina aqueles que se relacionam com Ele. Quando Moisés passava tempo na presença de Deus, sua face se tornava tão brilhante que ele colocava um véu porque as pessoas temiam se aproximar (veja Êxodo 34.29-30).

Com uma lâmpada deve estar ligada à corrente elétrica para poder iluminar a escuridão ao seu redor, assim devemos estar ligados a Deus se quisermos que nossa luz brilhe diante dos outros. A única forma de caminharmos em amor e nos comportarmos da forma que devemos é orando, lendo a Palavra e experimentando um relacionamento com Deus. Permaneça ligado a Ele e seja luz por onde quer que vá.

26 DE ABRIL

Não se Descontrole

Para que, segundo a riqueza da sua glória, vos conceda que sejais fortalecidos com poder, mediante o seu Espírito [Santo] no homem interior [Ele mesmo habitando em seu ser e personalidade interiores].

EFÉSIOS 3.16

O diabo tenta nos descontrolar para que possamos agir de forma irada, percamos o equilíbrio e arruinemos o testemunho do que Deus tem feito em nossa vida. Sem o amor de Deus fluindo por nosso intermédio, é difícil ser agradável até com pessoas agradáveis, quanto mais ao lidar com pessoas difíceis. Precisamos da ajuda de Deus para vivermos bem.

O Espírito Santo lhe dará poder para caminhar em amor onde quer que você vá. Não saia de casa sem convidá-lo para enchê-lo com sua graça para demonstrar o amor e a compaixão de Deus diante de todos que você encontrar.

27 DE ABRIL

Realmente Venha Conhecer a Deus

... e [Eu oro] para que sejais tomados [através de todo seu ser] de toda a plenitude de Deus [possam ter a mais rica medida da Presença divina] [e tornarem-se um corpo cheio e transbordante dele mesmo].

EFÉSIOS 3.19

Paulo estava orando por nós (a Igreja) quando disse: "Oro para que vocês possam realmente vir a conhecer, pela prática e pela experiência, por si mesmos, o amor de Cristo que ultrapassa o mero conhecimento sem experiência" (veja Efésios 3. 19). Ele sabia que precisávamos experimentar o amor de Deus de forma pessoal.

Nossa fé não depende de experiências, mas nosso relacionamento com Deus é real e podemos experimentar visitações de Deus. Precisamos de momentos intensos com Deus, pois é por meio deles que sabemos, sem dúvida alguma, que Ele está Se movendo em nossa vida.

Comece a jornada para conhecer a Deus mais e mais. Esteja consciente do seu amor por você durante todo o dia.

Começando Bem Seu Dia

28 DE ABRIL

Deseje Mais de Deus

Agora, pois, se achei graça aos teus olhos, rogo-te que me faças saber neste momento o teu caminho, para que eu te conheça (progressivamente me torne mais profunda e intimamente familiarizado contigo, percebendo-te, reconhecendo-te e compreendendo-te mais forte e claramente) e ache graça aos teus olhos; e considera [Senhor] que esta nação é teu povo.

ÊXODO 33.13

À medida que você começa a conhecer melhor a Deus, deixará de orar apenas durante momentos de crise e passará a desejar servi-lo com tudo que você é, com seu fôlego de vida, com cada talento e bem que você possui. Quando você se apaixona por Jesus, deseja ter mais e mais tempo com Ele.

Uma vez que você oferecer seu tempo, dinheiro e seus dons ao Senhor, desejará passar cada dia conhecendo-O mais intimamente. Peça a Deus que encha seu ser com a plenitude dele enquanto você O busca de todo coração.

29 DE ABRIL

Encha-se de Deus

Minha boca sem encherá do teu louvor e da tua honra durante todo o dia.

SALMOS 71.8

Considere novamente o versículo de Efésios 3.19 (AMP) "Que vocês possam ser... um corpo totalmente cheio e transbordantes do próprio Deus"! Imagine como será seu dia se o seu corpo estiver totalmente cheio de Deus. Você será um vaso carregando a presença de Deus onde quer que vá. Isso afetará seus pensamentos, suas emoções e suas atitudes. Estar cheio da divina presença de Deus transformará o que você diz, transformará seu lazer, bem como as companhias que você escolher.

Quando nascemos de novo, Jesus vem viver em nós como uma semente. Cuidar dessa semente da nova vida regando-a com a Palavra, alimentando-a, arrancando toda erva-daninha do pecado em nossa vida faz a semente da presença dele se tornar cada vez maior, até preencher todo o nosso ser.

30 DE ABRIL

Dando Frutos

Não fostes vós que me escolhestes a mim; pelo contrário, eu vos escolhi [Eu plantei] a vós outros e vos designei para que vades e deis fruto, e o vosso fruto permaneça [possa permanecer, durar]; a fim de que tudo quanto pedirdes ao Pai em meu nome [apresentando tudo que Eu sou], Ele vo-lo conceda.

JOÃO 15.16

A Bíblia diz que somos abençoados se nossa confiança está no Senhor. Seremos como árvores plantadas junto às águas que continuam a dar frutos (veja Jeremias 17.7-8).

Admito que algumas vezes, no final do dia, podemos sentir que nosso fruto foi arrancado. Mas Deus nos restaurará se permanecermos nele. Se colocarmos nossa confiança em Deus, daremos todos os tipos de fruto e teremos novos frutos para compartilhar com outros toda manhã.

1º DE MAIO

Use as Chaves

Porém aos que buscam (procuram pelo, rogam ao) o Senhor [pelo direito do suprimento de suas necessidades por meio da autoridade da sua Palavra] bem nenhum lhes faltará.

SALMOS 34.10

Jesus disse: "Eu lhes darei as chaves do reino dos céus, o que vocês ligarem (declararem ser impróprio e ilegal) na terra será ligado no céu, e o que vocês desligarem (declararem legal) na terra, será liberado nos céus" (Mateus 16.19).

Como cristão, você tem autoridade para viver em vitória e proibir que o diabo o atormente. Não é permitido a Satanás destruí-lo nos céus, como não é permitido que ele o destrua durante seus dias na Terra. Use as chaves do reino dos céus que Jesus lhe entregou. Libere as bênçãos de Deus sobre as obras de suas mãos e impeça as obras malignas que venham contra o fruto do seu trabalho hoje.

Começando Bem Seu Dia

2 DE MAIO

O Quebrantamento é Proveitoso

Mostra as maravilhas da tua bondade, ó Salvador dos que à tua destra buscam refúgio dos que se levantam contra eles. Guarda-me como a menina dos olhos, esconde-me à sombra das tuas asas.

SALMOS 17.7-8

Davi disse: "Senhor, sou como um vaso quebrado" (veja salmo 31.12). O quebrantamento parece ruim, mas por intermédio dele nos desfazemos das partes carnais que precisam ser lançadas fora para que possam surgir as boas coisas que existem em nós.

Todos nós precisamos ser quebrantados como Davi foi, precisamos ser totalmente dependentes de Deus para nos libertar do mal. Ore hoje como Davi o fez: "Mas eu confio, eu me apóio e creio em Ti, ó Senhor; e digo: Tu és o meu Deus" (Salmos 31.14).

3 DE MAIO

Quebre e Derrame

Porque o Filho do Homem há de vir na glória (majestade, esplendor) de seu Pai, com os seus anjos, e, então, retribuirá a cada um conforme as suas obras.

MATEUS 16.27

Deseje dar seu melhor ao Senhor, e Ele usará seus dons de uma forma que estará além de sua imaginação. A mulher com jarro de alabastro cheio de perfume, cujo valor equivalia a um ano de salário, queria fazer algo por Jesus porque o amava. Assim, ela derramou aquele perfume tão caro sobre Ele, não percebendo naquele momento que ela o estava ungindo para o seu sepultamento (veja Marcos 14.1-9).

Deus a levou a dar o que ela tinha, não importando quanto custasse. Enquanto você derrama os dons que Deus lhe deu, Ele os usará para preparar o mundo para a segunda vinda de seu Filho. A sua obediência hoje colherá recompensa celestiais que você nem tem consciência agora.

4 DE MAIO

Abençoe as Pessoas

Porque vós, irmãos, fostes [de fato] chamados à liberdade; porém não useis (não deixem) a liberdade para dar ocasião à carne (como uma oportunidade para o egoísmo); sede, antes, servos uns dos outros, pelo amor.

GÁLATAS 5.13

Como crente em Jesus Cristo, você tem dons maravilhosos, realmente maravilhosos dentro de si. Você tem a habilidade de tornar os outros felizes hoje, podendo encorajar, edificar, exortar ou reanimar as pessoas. Você pode crer, orar e até levar alguém a Cristo.

Pessoas não têm de ter necessidades desesperadoras diante de nós. O Espírito Santo nos levará a sermos bons com as pessoas cada dia, se formos sensíveis à Sua voz. Ofereça seus dons e talentos ao Senhor e veja o que acontecerá.

5 DE MAIO

Faça o Bem

Fiel é esta palavra... para que os que têm crido (confiado e se apoiado) em Deus sejam solícitos na prática de boas obras. Estas coisas [não somente] são excelentes[em si mesmas] (mas são boas) e proveitosas aos homens.

TITO 3.8

Que coisa maravilhosa é poder ser bom com as pessoas! A Bíblia diz que Deus ungiu a Jesus com o Espírito Santo e com força, habilidade e poder, e que Ele ia por toda parte fazendo o bem, pois Deus era Consigo (veja Atos 10.38). Jesus passou seus dias sendo bom com as pessoas, com todas as pessoas. Ele ajudava e encorajava as pessoas por onde quer que fosse.

Somos ungidos para abençoar as pessoas como Jesus fez. Deus tem nos dado força, habilidade e poder para fazer obras maravilhosas no nome dele. Hoje, passe o dia inteiro fazendo o bem.

Começando Bem Seu Dia

6 DE MAIO

Humilhe-se

Tende em vós o mesmo sentimento [propósito e atitude humilde] que houve também em Cristo Jesus [deixe-o ser seu exemplo de humildade].

FILIPENSES 2.5

A humildade vem do quebrantamento; o quebrantamento realmente dói, mas trata-se de uma dor "proveitosa". O quebrantamento vem quando aprendemos que não somos melhores que os outros, quando julgamos os outros, e então percebemos que fazemos as mesmas coisas que eles. O quebrantamento vem quando pensamos que vamos sair e fazer algo maravilhoso e, então, falhamos porque nos esquecemos de permanecer conectados com Deus.

O quebrantamento vem quando damos nossa opinião, pensando que estamos absolutamente certos sobre o que falamos e, então, descobrimos que estávamos errados. O quebrantamento é bom, pois nos leva à humildade, e a humildade precede a honra (veja Provérbios 15.33).

7 DE MAIO

Seja Deus Exaltado

Os olhos altivos dos homens serão abatidos, e a sua altivez será humilhada; só o Senhor será exaltado naquele dia.

ISAÍAS 2:11

Nenhum de nós está onde deveria estar, mas, graças a Deus, não estamos mais onde costumávamos estar. Não olhe para aquilo que você é nesse momento, olhe para a pessoa em que você *está se tornando*. Sempre estaremos no processo de nos tornar como Cristo (veja 2 Coríntios 3.18).

O quebrantamento dói, mas o oposto é muito pior. A Palavra diz: "A soberba vem antes da queda, mas a humildade precede a honra" (Provérbios 18.12). Ore para ser flexível, moldável e dócil, para que você possa ser mais parecido com Cristo em tudo o que fizer hoje. Ore para ser quebrantado a fim de que só o Senhor possa ser exaltado em sua vida.

8 DE MAIO

Um Tesouro Precioso

Mas um só e o mesmo Espírito [Santo] realiza todas estas coisas [dons, realizações, habilidades], distribuindo-as, como lhe apraz, a cada um, individualmente.

1 CORÍNTIOS 12.11

Em 2 Coríntios 4.7 (AMP), Paulo diz: "Possuímos este precioso tesouro [a divina luz do Evangelho] em vasos [frágeis, humanos] de barro, para que a grandeza e a excelente magnitude do poder mostre-se vinda de Deus e não de nós mesmos". Deus usa pessoas frágeis (vasos quebrados!) para proclamar o poder do seu evangelho.

Ele poderia enviar anjos para pregar o evangelho, mas usa pessoas normais, comuns, para demonstrar seu poder. Ele nos enche com dons divinos, inspirados pelo Espírito Santo, e os distribui entre o seu corpo de crentes. Vamos nos ligar ao povo de Deus hoje para um proveito maior, enquanto trabalhamos juntos para realizar seu propósito.

9 DE MAIO

Isso Deve Ser Deus

Porque fazes resplandecer a minha lâmpada; o Senhor, meu Deus, derrama luz nas minhas trevas.

SALMOS 18.28

A Bíblia diz que Deus opera por intermédio das nossas fraquezas para que a grandeza e a excelente magnitude do poder em nossa vida se mostrem vindas de Deus, e não de nós mesmos (veja 2 Coríntios 4.7). Deus usa pessoas comuns como nós, com falhas e rachaduras em nossos vasos (nosso vaso terreno), para que as pessoas saibam que só pode ser algo vindo de Deus se realizarmos boas obras.

Se as pessoas nos conheciam antes de crermos em Jesus, elas notarão especialmente a diferença que uns poucos anos caminhando com o Senhor tem feito em nossa vida. Tornamo-nos pessoas totalmente diferentes quando permitimos que seu amor brilhe por intermédio da nossa fraqueza. Podemos parecer os mesmos, mas não agimos da mesma forma. Simplesmente exalamos o amor quando estamos cheios da grandeza de Deus. Deixe sua gloriosa luz brilhar por intermédio de você neste dia.

Começando Bem Seu Dia

10 DE MAIO

A Luz Brilha por Intermédio de Vasos Quebrados

Não sejam envergonhados por minha causa os que esperam em (anseiam, buscam por) ti, ó Senhor, Deus dos Exércitos; nem por minha causa sofram vexame os que te buscam (como sua necessidade vital), ó Deus de Israel.

SALMOS 69.6

Cada um de nós é como um vaso que carrega vida. Mas nem todos carregam uma presença que pode abençoar outros. A religião tenta forçar as pessoas a seguir leis para se tornarem perfeitas, como vasos sem rachaduras. Mas, se uma luz é colocada dentro de um vaso inteiro e coberto, ninguém será capaz de ver a luz dentro dele. Vasos perfeitos são incapazes de revelar a luz interna para que possam iluminar o caminho dos outros.

Deus escolheu brilhar por intermédio de vasos imperfeitos e rachados. As pessoas são abençoadas quando nossos vasos rachados deixam Cristo brilhar por meio deles. Escolha ser um vaso rachado cheio da glória de Deus em vez de ser um vaso intacto e belo, porém vazio.

11 DE MAIO

Morra Para o Pecado

Respondeu-lhes Pedro: Arrependei-vos se (mudai seu ponto de vista e vos proponhais a aceitar a vontade de Deus em seu interior, ao invés de rejeitá-la), e cada um de vós seja batizado em nome de Jesus Cristo para remissão dos vossos pecados, e recebereis o dom do Espírito Santo.

ATOS 38

Morrer para o pecado requer um compromisso diário. Todos nós temos fraquezas, mas eis por que precisamos de Jesus. Ele teria morrido em vão se não precisássemos dele. Todo dia devemos pedir-Lhe para nos ajudar com nossos problemas e falhas.

Ele nos salvará de nossos pecados, do nosso mau humor, do nosso egoísmo, da nossa inveja e da nossa ganância. Quando nos tornamos cristãos, nosso desejo carnal para pecar não morre *dentro de* nós, mas Jesus nos *salvará de* nossos pecados se lhe pedirmos para nos fortalecer para que possamos morrer para os desejos egoístas e segui-lo.

12 DE MAIO

Identifique Quem Você É

Afaste-se do mal, pratique o que é bom, busque a paz (harmonia e a calma diante do medo, paixões inquietantes e conflitos morais) e empenhe-se por alcançá-la [não apenas desejando relacionamentos pacíficos com Deus, com seus próximos e consigo mesmo, mas buscando praticar isso!)

1 PEDRO 3.11

Paulo disse: "Porque não faço o bem que prefiro, mas o mal que não quero, esse faço" (veja Romanos 7.15-25). Ele era uma nova pessoa interiormente porque era nascido de novo, mas ainda tinha de resistir à tentação de pecar.

Paulo explicou que "o [princípio do] pecado" (v.26) continua a habitar em nós. Queremos fazer o que é certo, mas não temos o poder de realizá-lo, porque o mal está sempre presente para nos tentar a fazer o que é errado. Somente Deus pode nos libertar dessa tendência a pecar, e eis por que devemos Lhe pedir que nos livre do mal todo dia.

13 DE MAIO

Amplie Seu Círculo de Amor

Oh! Como é bom e agradável viverem unidos os irmãos!

SALMOS 133.1

Podemos nos vestir e parecer bem exteriormente, mas Deus está mais interessado naquilo que ocorre dentro de nós. Quando julgamos os outros pela aparência deles, caímos na armadilha do diabo de rejeitarmos aqueles que não parecem ser como nós.

De forma determinada, amplie seu círculo de amor hoje. Busque formas de incluir aqueles que você possa ter anteriormente desprezado. Peça a Deus que o ajude a ampliar seu círculo de amor ao relacionar-se com pessoas de todos os tipos, cor e comportamentos. Ore para que Deus lhe dê olhos para ver o coração das pessoas e espere para desfrutar um grande dia.

Começando Bem Seu Dia

14 DE MAIO

Precisamos Uns dos Outros

Em verdade também vos digo que, se dois dentre vós, sobre a terra, concordarem (harmonizando-se, compondo uma sinfonia) a respeito de qualquer coisa [todas as coisas] que, porventura, pedirem, ser-lhes-á concedida por meu Pai, que está nos céus.

MATEUS 18.19

Precisamos uns dos outros no corpo de Cristo. Homens e mulheres precisam uns dos outros, as denominações precisam umas das outras. Creio que, quando formos para o céu, descobriremos a verdade sobre nossas diferenças. Perceberemos que todos nós estávamos certos sobre algumas coisas e errados sobre outras, porém, mesmo as coisas nas quais estivermos certos, realmente não farão diferença. Deus quer que caminhemos juntos, paremos de lutar com todos sobre coisas pequenas das quais discordamos e comecemos a encontrar coisas nas quais concordamos para que possamos nos manter relacionando uns com os outros. Pratique a atitude de procurar maneiras de concordar com outros crentes e, então, observe o que Deus fará pela unidade da fé.

15 DE MAIO

O Poder Pertence a Cristo

... e Deus escolheu (deliberadamente) as coisas humildes do mundo, e as desprezadas, e aquelas que não são..., a fim de que ninguém se vanglorie [tenha a pretensão de gloriar-se] na presença de Deus.

1 CORÍNTIOS 1.28-29

"Mas para aqueles que foram chamados... Cristo [é] o poder de Deus e a sabedoria de Deus" (1 Coríntios 1.24). Quando Deus nos chama para fazer algo, Ele nos capacita a fazê-lo. Lembre-se de que Deus usa pessoas inadequadas para fazer coisas importantes porque, dessa forma, Ele recebe a glória.

Então, se Deus o chama para fazer algo hoje que parece muito complexo, Cristo lhe dará o poder e a sabedoria de que você necessita para fazê-lo. Deus diz a cada um de nós: "Minha força e poder se aperfeiçoam (tornam-se plenos e completos) e mostram-se mais efetivos em [sua] fraqueza" (2 Coríntios 12.9).

16 DE MAIO

Deus Usa o que os Outros Desprezam

Respondeu-lhe o Senhor: Quem fez a boca do homem? Ou quem faz o mudo, ou o surdo, ou o que vê, ou o cego? Não sou eu, o Senhor? Vai, pois, agora, e eu serei com a tua boca e te ensinarei o que hás de falar.

ÊXODO 4.11-12

Deus, propositadamente, chama pessoas para servi-lo que não sabem como fazer o que Ele lhes diz para fazer. Sua caixa de ferramentas é cheia de indivíduos fracos que podem não parecer fazer as coisas da forma certa; "são vasos quebrados" que o mundo trata com desprezo (1 Coríntios 1.28).

Mas Deus sabe que esses indivíduos dependerão dele e orarão: "Senhor, ajuda-me, para que nenhum homem mortal (tenha a pretensão de se gloriar-se) se vanglorie na presença de Deus" (1 Coríntios 1.29 – AMP).

Qualifique-se para fazer parte da caixa de ferramentas de Deus hoje, ao contar a alguém o que você tem visto Deus fazer em sua vida.

17 DE MAIO

Deus nos Capacita

Por intermédio de quem viemos a receber graça (favor imerecido de Deus) e [nosso] apostolado por amor do seu nome, para a obediência por fé, entre todos os gentios, de cujo número sois também vós, chamados [assim como estão] para serdes de Jesus Cristo.

ROMANOS 1.5-6

Deus nos dá beleza em vez de cinzas, óleo de alegria em vez de pranto e vestes de louvor em vez de espírito angustiado (veja Isaías 61.3).

Deus nos dá aquilo de que precisamos para sermos vitoriosos. Porque é Deus quem nos capacita. Creditamos a Ele todas as coisas boas em nossa vida.

Levante-se hoje e faça o melhor que puder e, então, deixe Deus fazer o resto. Tente não cometer erros, tente não falhar, mas, quando isso acontecer, arrependa-se e endireite as coisas com o Senhor. Se você precisa desculpar-se com alguém, vá e desculpe-se. Receba seu perdão e siga em frente.

Começando Bem Seu Dia

18 DE MAIO

Crescendo Continuamente

Por esta razão, também nós, desde o dia em que o ouvimos, não cessamos de orar por vós e de pedir que transbordeis de pleno conhecimento da sua vontade, em toda a sabedoria e entendimento espiritual; a fim de viverdes de modo digno do Senhor, para o seu inteiro agrado, frutificando em toda boa obra e crescendo no pleno conhecimento de Deus.

COLOSSENSES 1.9-10

A Palavra de Deus nos encoraja a buscar a perfeição ao crescermos até a completa maturidade de uma mente e caráter piedosos, tendo integridade, assim como nosso Pai celestial é íntegro e perfeito (veja Mateus 5.48).

Paulo disse que, embora ainda não tivesse atingido o ideal da perfeição, prosseguia para conquistar e tornar seu aquilo pelo qual Cristo o tinha conquistado (veja Filipenses 3.12). Nós, também, devemos prosseguir rumo à maturidade e à integridade hoje.

19 DE MAIO

Arrependa-se e Prossiga

Se [livremente] confessarmos os nossos pecados, ele é fiel e justo (verdadeiro em sua própria natureza e promessas) para nos perdoar os pecados [lançar fora nossas ilegalidades] e [continuamente] nos purificar de toda injustiça [tudo o que não está em conformidade com sua vontade em propósito, pensamento e atitude].

1 JOÃO 1.9

É importante nos lamentarmos sinceramente se fizermos algo errado, mas não ajudará nada permanecermos lamentando abertamente sobre tudo o que está errado em nós. Nunca amadurecemos em nossa fé se permanecermos irados conosco.

Devemos nos arrepender dos nossos pecados, receber o perdão e esquecê-los. Não devemos arrastar as memórias do nosso velho comportamento o tempo todo. Cedo ou tarde, teremos de deixar isso de lado e dizer: "Bem, cometi um erro porque sou apenas um velho vaso quebrado". Então, devemos deixar a luz de Deus brilhar por meio das rachaduras da nossa superfície.

20 de Maio

Deus Quer nosso Coração

Porém o Senhor disse a Samuel: Não atentes para a sua aparência, nem para a sua altura, porque o rejeitei; porque o Senhor não vê como vê o homem. O homem vê o exterior, porém o Senhor, o coração.

1 Samuel 16.7

A religião nos ensina a voltar nossa atenção para a aparência exterior, mas isso não nos capacita a purificar nossos pensamentos e intenções do coração. Jesus chamou os religiosos fariseus de "sepulcros caiado cheios de ossos humanos" (veja Mateus 23.27), pois eles se vangloriavam da sua perfeita obediência às leis hebraicas.

Mas Deus não os via como perfeitos, porque o coração deles não era misericordioso como o dele. Deus prefere ter alguém com um coração doce e maravilhoso diante de Si, que cometa erros, do que alguém com um desempenho admirável, mas que seja corrompido interiormente.

Quando Deus olhar para o seu coração hoje, deixe-O vê-lo buscando intensamente a presença dele.

21 de Maio

Deus Aprecia a Forma como Ele o Fez

Os meus ossos não te foram encobertos, quando no oculto fui formado e entretecido [como se bordado com várias cores] como nas profundezas da terra.

Salmos 139.15

Você já perguntou a Deus: "Por que o Senhor me fez desse jeito"? Algumas vezes, as coisas que pensamos ser nossas piores falhas Deus usará para sua maior glória: "Mas quem são vocês, meros homens, para criticar e contradizer e retrucar a Deus? Aquilo que é formado dirá para aquele que o formou: Por que você me fez assim"? (Romanos 9.20).

Jesus morreu para que pudéssemos desfrutar nossa vida com abundância, plenamente, até transbordar. Você não desfrutará sua vida se não desfrutar a si mesmo. Encontre satisfação por ser quem é e alegre-se com a forma exclusiva como Deus o criou.

Começando Bem Seu Dia

22 DE MAIO

Viva para Servir a Deus

*Pois o próprio Filho do Homem não veio para ser servido, mas para servir
e dar a sua vida em resgate por muitos.*

MARCOS 10.45

Como um oleiro transforma o barro em vasos, assim Deus nos forma, alguns para honra e outros para desonra, para servirmos ao propósito dele. A despeito da forma como nossa posição possa parecer aos outros, somos formados para servir a Deus de alguma maneira.

Se Deus o fez para ser um ajudador, então ajude com todo o seu coração. Se você gosta de limpar casas para as pessoas, então, faça-o como se estivesse limpando a casa do Senhor. Se você quer permanecer em casa com seus filhos em vez de ganhar dinheiro extra, não se preocupe se Deus chamou outras pessoas para um trabalho remunerado fora de casa. Faça o que Deus colocou em seu coração e desfrute o fato de cumprir o propósito que Ele lhe deu.

23 DE MAIO

Somente Deus Pode Transformar Você

*O Senhor o assiste no leito da enfermidade; na doença, tu lhe afofas a cama. Disse eu: compadece-te
de mim, Senhor; sara a minha alma, porque pequei contra ti.*

SALMOS 41.3-4

Não se torne obsessivo por causa de suas falhas ou você nunca desfrutará a vida que Jesus morreu para lhe dar. Somente Deus pode transformá-lo; assim, converse com Ele sobre seus desejos. A Palavra diz que aqueles que esperam no Senhor serão transformados (veja Isaías 40.31).

Enquanto isso, pare de falar sobre suas falhas tão intensamente. Não deixe o desânimo e a depressão roubarem de você a energia e torná-lo irado. Se o fizer, pode espalhar essa ira a outras pessoas e perder as bênçãos que Deus reservou para você hoje. Desfrute a si mesmo e resplandeça! Tome atitudes certas hoje rumo à mudança que você deseja, pedindo que Deus o ajude durante todo este dia.

24 DE MAIO

Nós Somos Portadores

... o Senhor faça resplandecer o rosto sobre ti (e o ilumine) e tenha misericórdia (benignidade, compaixão e graça) de ti; o Senhor sobre ti levante o rosto [com aprovação] e te dê a paz (tranquilidade de coração e vida continuamente).

NÚMEROS 6.25-26

Olhar para pessoas aparentemente bem-sucedidas e pensar Ah! Eu desejaria ser como elas faz com que percamos nosso tempo. Não conhecemos seus problemas ou falhas. Todos nós temos lutas e devemos agradecer a Deus por nossas próprias cargas, porque, se não tivéssemos problemas, não precisaríamos mais de Jesus.

Revele aos outros a glória da presença de Deus em sua vida ao ser grato por aquilo que Ele faz por você. Compreenda que Deus colocou seus tesouros em vasos de barro, como nós, para que aqueles que não o conhecem vejam a grandeza e a glória dele em nós (veja 2 Coríntios 4.7). Deixe a luz de Deus brilhar por intermédio da sua vida hoje.

25 DE MAIO

Em Nossa Fraqueza Ele é forte

Porque tu és a minha rocha e a minha fortaleza; por causa do teu nome, tu me conduzirás e me guiarás.

SALMOS 31.3

Cada um de nós tem as próprias falhas, como vasos quebrados. Mas, se permitirmos, Jesus usará nossas falhas para a glória de Deus. Na grande economia de Deus, nada é desperdiçado. Assim, ao buscar formas de ministrar e quando Deus chamá-lo para fazer as tarefas que Ele lhe designou, não se assuste por causa de suas falhas. Reconhece-as e permita que Deus tire proveito delas para que você também possa ser tornado belo ao prosseguir no caminho do Senhor.

Prossiga corajosamente, sabendo que em nossas fraquezas sempre encontraremos a força de Deus. Em Cristo, as respostas para cada uma das promessas de Deus é "Sim", e por essa razão nós dizemos: "Amém, assim seja"! (veja 2 Coríntios 1.20).

Começando Bem Seu Dia

26 DE MAIO

A Força de Deus É Perfeita

Ora, aquele [Deus] que dá semente ao que semeia e pão para alimento também suprirá e aumentará a vossa sementeira (recursos para semear) e multiplicará os frutos da vossa justiça [que se manifesta em bondade, compaixão e caridade ativas].

2 CORÍNTIOS 9.10

Há pessoas que têm muito, mas que nada fazem pelos outros com aquilo que possuem. Mas há pessoas que têm pouco, mas que são capazes de fazer muito com aquilo que têm. Use aquilo que você tem hoje e não se preocupe com o que não tem. Deus fará diferença naquilo que lhe falta se você, simplesmente, lhe der o que puder.

A força de Deus é sempre aperfeiçoada em nossa fraqueza. Não lamente pelo que lhe falta; em vez isso, deixe a presença de Deus preencher seu vazio. Faça o melhor que puder e desfrute o fato de Deus receber a glória por meio de seu testemunho cada dia.

27 DE MAIO

Decida Ser Positivo

Finalmente, irmãos, tudo o que é verdadeiro, tudo o que é respeitável, tudo o que é justo, tudo o que é puro, tudo o que é amável, tudo o que é de boa fama, se alguma virtude há e se algum louvor existe, seja isso o que ocupe o vosso pensamento (pondere e fixe sua mente nisso).

FILIPENSES 4.8

As pessoas negativas não desfrutam a vida. Enxergar cada dia com expectativas positivas é uma das chaves para uma alegria abençoada.

Agimos de acordo com o que cremos; assim pensamentos otimistas causam atitudes otimistas. Se você quer uma vida positiva, comece a ter pensamentos agradáveis. É fácil fazer isso se você ler a palavra e meditar em tudo o que Deus quer fazer por você e por intermédio de você. Separe algum tempo hoje e pense sobre todas as coisas boas e positivas que Deus fez por você no passado e tudo o que Ele planejou para você no futuro.

28 DE MAIO

Abençoe Alguém Hoje

Tenho-vos mostrado [pelo exemplo] em tudo que, trabalhando assim, é mister socorrer os necessitados e recordar as palavras do próprio Senhor Jesus: Mais bem-aventurado é (torna alguém mais feliz e mais afortunado) dar que receber.

ATOS 20.35

Tenha uma jornada saudavelmente amorosa hoje, pensando nesta manhã o que você pode fazer por outra pessoa. Não espere que Deus lhe *peça* para fazer algo; mas tome a iniciativa e diga: "Bem, Deus, o que posso fazer para ser uma bênção para louvor da Tua glória hoje"?

Os melhores dias que você vive são aqueles em que investe seu tempo amando outras pessoas. Escolha uma pessoa em particular e pense numa forma de abençoá-la. Se você não sabe o que fazer, apenas ouça o que ela tem a dizer, e não demorará muito para você descobrir suas necessidades.

29 DE MAIO

Deus Sabe e Vê

A intimidade [da doce e agradável companhia] do Senhor é para os que o temem (reverenciam e adoram), aos quais ele dará a conhecer a sua aliança (e revelar-lhes seu profundo significado).

SALMOS 25.14

Ninguém mais pode ver as coisas que você faz, mas Deus vê cada uma delas. Todas as vezes que você ora, Deus vê. Todas as vezes que você toma uma atitude de bondade secretamente, Deus vê e planeja uma recompensa para você publicamente (veja Mateus 6.1-6).

Sirva ao Senhor em tudo o que fizer hoje. A Palavra diz: "De manhã semeia tua semente, e à tarde não retenha a tua mão, porque você não sabe qual delas prosperará, se esta ou aquela, ou se ambas serão bem-sucedidas" (Eclesiastes 11.6 – AMP). Deus prosperará o que você fizer para Ele.

Começando Bem Seu Dia

30 DE MAIO

Você Pode Mudar

Fomos, pois, sepultados com ele na morte pelo batismo; para que, como Cristo foi ressuscitado dentre os mortos pela glória [poderosa] do Pai, assim também [habitualmente] andemos nós em novidade de vida.

ROMANOS 6.4

Você nunca alcançará seu destino se pensar coisas negativas. Quando despertar pela manhã, comece dizendo: "Amo minha vida, ela é maravilhosa. Agradeço a Deus por tudo que tem me dado".

Você fará um favor a si mesmo se começar a ter pensamentos corretos, pois assim também tomará atitudes corretas. Semear atitudes corretas no seu dia formará novos hábitos. Quando você começar a operar nesses novos hábitos, isso transformará seu caráter. E quando seu caráter mudar você caminhará rumo ao destino que Deus tem para sua vida. Pelo poder de Deus, você pode viver em novidade de vida.

31 DE MAIO

Desfrute os Desafios

Quanto a mim, bom é estar junto a Deus; no Senhor Deus ponho o meu refúgio, para proclamar todos os seus feitos.

SALMOS 73.28

Outra chave para começar seu dia da forma correta é não temer as coisas. Não fiquei na cama temendo o dia que você tem pela frente antes de levantar. O temor é um parente próximo do espírito de medo. Quando o medo entra, a alegria vai embora. O medo o coloca em miséria, porque, ao escolher temer, você decide que não poderá desfrutar aquilo que deve fazer hoje.

Esteja empolgado ao enfrentar novos desafios. Feche as portas para o pensamento de medo. Decida logo cedo enfrentar cada desafio hoje, sabendo que Deus estará com você para endireitar seus caminhos e prosperá-lo em tudo o que fizer.

1º DE JUNHO

Tenha um Novo Padrão de Pensamento

Cria em mim, ó Deus, um coração puro e renova dentro de mim um espírito inabalável.

SALMOS 51.10

Nós nos estabelecemos numa posição de miséria ou alegria pela forma como pensamos com relação às coisas que acontecem na vida. Padrões de pensamento são formas de como nossa mente reage diante de algo. Por exemplo, quando olhamos para nossa agenda hoje, pode parecer que haja muito a ser feito. Mas, se escolhermos o padrão de pensamento de que Deus nos ajudará por intermédio disso tudo, nos alegraremos ao ver como tudo se ajustará.

Recuse-se a temer o que deve ser feito. Receba o dia com uma atitude correta o coração grato, porque você tem um Salvador que está pronto para resgatá-lo daquilo que for maior do que você pode suportar. Desfrute a si mesmo e diga: "Recuso-me a viver com medo; e vou desfrutar a minha vida hoje".

2 DE JUNHO

O Perfeito Amor Lança Fora o Medo

Tudo posso naquele que me fortalece [estou pronto e preparado para tudo através daquele que infunde força interior dentro de mim; sou forte na suficiência de Cristo].

FILIPENSES 4.13

A apreensão é parenta do medo. O diabo tenta nos assustar para que confessemos o medo em vez da fé. Mas, como João 4.18 (AMP) diz, "não há medo no amor [temor não existe], mas o pleno (completo, perfeito) amor lança fora pelas portas e expele todo traço de terror! Pois o medo traz consigo o pensamento de punição [assim], aquele que teme não tem alcançado a plena maturidade do amor [ainda não cresceu até a perfeição completa do amor]".

Desfrute seu dia sabendo que Deus o ama perfeitamente. Não tema as coisas difíceis que você tem de fazer hoje, porque Deus estará do seu lado, pronto para ajudá-lo.

Começando Bem Seu Dia

3 DE JUNHO

Deus Está do Seu Lado

Porque o Senhor se agrada do seu povo e de salvação adorna os humildes.

SALMOS 149.4

Se você nunca enfrenta tribulações, nunca exercitará sua fé. Mas, ao enfrentar momentos difíceis, você não deve temer a vida. Isaías 8.13 (AMP) diz: "Ao Senhor dos exércitos, considera santo e honre ao seu santo nome [ao honrá-lo como sua única esperança de segurança] e deixe que Ele seja seu temor e seu espanto [não o ofenda por desconfiar dele e por ter medo do homem]".

Se você teme a vida ou às pessoas, não está confiando em Deus para salvá-lo. Mantenha seu temor e respeito reverencial a Deus, temendo desagradar-Lhe, mas não tenha medo de mais nada. Se Deus é por você, quem pode ser contra você? "... em todas essas coisas somos mais do que vencedores através daquele que nos amou" (Romanos 8.37).

4 DE JUNHO

Esteja Pronto

Não desampares a sabedoria, e ela te guardará; ama-a, e ela te protegerá.

PPROVÉRBIOS 4.6

Filipenses 4.13 promete que Cristo fortalecerá você em tudo o que enfrentar. Isso significa que Ele o preparará e o capacitará para agir à altura de todos os desafios ao fortalecê-lo com poder interior.

Deus nunca o colocará uma posição para fazer algo sem lhe dar a força e habilidade para isso. Você pode relaxar e desfrutar sua vida, pois Deus o "fortalecerá (completará, aperfeiçoará) e fará de você o que deve ser e o equipará com o todo o bem para que você possa cumprir sua vontade; (enquanto Ele mesmo) opera e realiza em você que é agradável aos seus olhos, através de Jesus Cristo" (Hebreus 13.21 – AMP).

5 DE JUNHO

Renove Sua Alegria

Glória e majestade estão diante dele, força e formosura, no seu santuário.

1 CRÔNICAS 16.27

Traumas emocionais tiram a energia das pessoas. Mas a Palavra diz: "Não se aflija ou deprima, pois a alegria do Senhor é sua força e fortaleza" (Neemias 8.10 – AMP). O diabo quer roubar sua alegria porque ele sabe que a alegria é sua força. Ele quer que você esteja fraco para que não resista aos ataques dele contra sua vida. Eis por que algumas vezes precisamos uns dos outros.

Alguns dias, Deus enviará mensageiros para edificar sua fé e renovar sua alegria. Em outros dias, Ele o enviará a alguém que está se sentindo fraco porque Satanás está atacando-o. Encoraje alguém hoje. Pode haver pessoas precisando de um amigo para estar ao lado delas, para encorajá-las, animá-las e orar por elas.

6 DE JUNHO

Enxergue Adiante

Mas falamos a sabedoria de Deus em mistério [à compreensão humana], outrora oculta, [sabedoria essa] a qual Deus preordenou desde a eternidade para a nossa glória [para levar-nos à glória da sua presença].

1 CORÍNTIOS 2.7

Olhe adiante para a recompensa que Deus tem para você nos céus. Ele já escreveu o fim do livro, o qual diz que há boas novas reservadas àqueles que colocam sua fé em Jesus.

Mesmo se você viver uma centena de anos e tiver tribulações em sua vida todos os dias, Paulo diz que nossas momentâneas tribulações trarão um eterno peso de glória que ultrapassa todas as aflições que possamos enfrentar agora (veja 2 Coríntios 4.17-18). Mantenha seus olhos na linha de chegada, e não das adversidades ao seu redor.

Começando Bem Seu Dia

7 DE JUNHO

Sinta-se Satisfeito

Os mansos comerão e se fartarão; louvarão ao Senhor os que [diligentemente] o buscam [como sua maior necessidade]; o vosso coração viverá eternamente.

SALMOS 22.26 – ARC

Muitas pessoas, constantemente, buscam a empolgação de uma nova experiência, mas cada coisa nova finalmente se torna velha. Cedo ou tarde, as pessoas terão de satisfazer-se com as coisas velhas também, ou nunca alcançarão o alvo do contentamento que Deus tem para a vida delas (veja 1 Timóteo 6.6).

Em Filipenses 4.11-12, Paulo disse que ele aprendeu como estar contente e satisfeito a ponto de não se perturbar ou se inquietar, não importa em que condições estivesse. Ele podia viver em circunstâncias humildes ou desfrutar plenitude. Ele aprendeu que o segredo de enfrentar cada situação, seja com abundância ou escassez, consistia em estar contente. Busque contentamento no Senhor hoje e você se sentirá satisfeito.

8 DE JUNHO

Desfrute Sua Vida

Tudo quanto fizerdes, fazei-o de todo o coração, como [se fosse algo] para o Senhor e não para homens, cientes [com toda a certeza] de que recebereis do Senhor [e não dos homens] a [real] recompensa da herança.

COLOSSENSES 3.23

Jesus morreu para que você possa desfrutar vida abundante, não apenas nos dias que estiver de folga ou de férias, indo ao shopping ou jogando com os amigos, mas todos os dias de sua vida.

Ele quer que você desfrute o momento de ir ao supermercado, ou enquanto estiver levando os filhos à escola, ou ao pagar suas contas. Ele quer que você desfrute a vida ao limpar sua casa ou ao cortar a grama do jardim.

Você pode desfrutar a vida quando se determinar a fazê-lo. Diga: "Vou desfrutar cada fato em minha vida, porque Jesus morreu para que eu pudesse ter alegria indizível e cheia de glória".

9 DE JUNHO

Seguindo o Espírito de Deus

E aquele que sonda os corações sabe qual é a mente do Espírito [Santo] [qual é o seu intento], porque segundo a vontade de Deus é que ele intercede pelos santos [diante de Deus].

ROMANOS 8.27

Muitas pessoas seguem seus próprios desejos ou os conselhos de outras pessoas, em vez de seguir o Espírito de Deus. O Espírito Santo foi dado a cada um de nós para nos guiar à plenitude do nosso propósito e àquilo que Jesus morreu para nos dar.

Sua fé em Jesus lhe dá a promessa do céu, mas Deus quer operar todas as coisas para o seu bem também aqui nesta vida (veja Romanos 8.28). Não se satisfaça em receber metade daquilo que Jesus morreu para lhe dar. Siga a direção de Espírito para que você obtenha tudo o que Deus tem para você. Busque a Deus por uma orientação clara para permanecer exatamente no centro da perfeita vontade dele para cada dia.

10 DE JUNHO

Vá Onde Deus o Enviar

Aproximemo-nos, com sincero (honesto e verdadeiro) coração, em plena certeza (absoluta convicção) de fé (por apoiar toda a personalidade humana em Deus com absoluta fé e confiança em seu poder, sabedoria e bondade).

HEBREUS 10.22

Uma das principais razões pelas quais as pessoas não desfrutam a vida é por não seguirem a orientação do Espírito Santo. Porque Jesus cumpriu a lei, temos plena liberdade para entrar no Santo dos Santos e nos relacionarmos com o Pai. A carta aos Hebreus chama esse acesso de "um novo e vivo caminho" para desfrutarmos nosso relacionamento com Deus (veja Hebreus 10.20).

Passe tempo com Deus hoje e vá aonde quer que o Espírito de Deus o leve. Ele sempre lhe dará a graça para realizar o que Ele o chamou para fazer.

Começando Bem Seu Dia

11 DE JUNHO

Um Novo Desejo

Porque, no tocante ao homem interior [com minha nova natureza],
tenho prazer na lei de Deus.
ROMANOS 7.22

Quando nascemos de novo, recebemos um novo "querer". A lei diz que "temos de fazer, devemos fazer e precisamos fazer", mas queremos fazer o que é certo porque Deus colocou um novo coração em nós para substituir o coração de pedra que costumava ser indiferente a Deus e a sua vontade (veja Ezequiel 36.26).

Aprenda a reconhecer a diferença entre os desejos da sua carne e os desejos colocados em você pelo Espírito Santo. Salmos 1.2 – AMP diz: "BEM AVENTURADO (FELIZ, afortunado, próspero e invejado) é o homem que não caminha e vive no conselho dos ímpios... mas seu prazer está na lei do Senhor, e em sua lei (preceitos, instruções, ensinos) habitualmente medita (pondera e estuda) de dia e de noite".

12 DE JUNHO

Somos Diferentes

... tendo, porém, diferentes dons (habilidade, talentos e qualidades) (vamos usá-los) segundo a
graça que nos foi dada:
ROMANOS 12.6

Não se sinta mal sobre si mesmo se você não é capaz de fazer algo que outra pessoa foi ungida para fazer. O Senhor ungiu cada um de nós para contribuirmos para o corpo de Cristo de uma forma exclusiva. O que Deus o capacita a fazer não é mais ou menos importante do que Ele chamou outra pessoa para fazer.

Deus o fez diferente de todas as outras pessoas para cumprir o Seu desejo, e Ele promete cumprir os desejos do seu coração também (veja Salmos 37.4). Ele o ungirá naquilo que o chamou, por isso coloque seus dons em Suas mãos poderosas hoje e desfrute a si mesmo.

13 DE JUNHO

Mude "Devo" para "Quero"

Agora, pois, já nenhuma condenação (nenhuma sentença culpando pelo erro) há para os que estão em Cristo Jesus, (que não vivem segundo os ditames da carne, mas segundo o Espírito).

ROMANOS 8.1

Muitas pessoas comparam a si mesmas e suas realizações com aquilo que outros são e realizam para o Senhor, pensando que temos de fazer certas coisas para agradar a Deus. Mas Deus não enviou Jesus ao mundo para nos condenar (veja João 3.17). O que agrada a Deus é o nosso profundo desejo de conhece-lo melhor, o que conseguimos quando passamos tempo com Ele em estudo e oração.

Somos chamados para desfrutar um relacionamento com Deus. Não deixe a condenação roubá-lo de sua alegria hoje. Ore: *Senhor, quero seguir a lei do meu novo ser. Pela Tua graça, ajuda-me seguir a Jesus, porque Ele fez o que a lei não podia fazer e salvou-me de meus pecados.*

14 DE JUNHO

Siga a Paz

Porque o pendor da carne [a qual é o sentido e a razão sem o Espírito Santo] dá para a morte [morte que compreende todas as misérias vindas do pecado, tanto aqui como na eternidade], mas (a mente) do Espírito [Santo], para a vida e paz [para a alma] [tanto agora como para sempre].

ROMANOS 8.6

As pessoas hesitam seguir seus desejos porque não sabem como separar sua alma do seu espírito. Elas não podem discernir a diferença entre os desejos de sua carne e os desejos dirigidos pelo Espírito, e não sabem quando Deus as está verdadeiramente dirigindo para fazer alguma coisa.

Mas você pode aprender a discernir quando Deus o está dirigindo ou não. Quando o Senhor lhe dá algum desejo para realizar algo, Ele lhe dará paz juntamente com isso. Você pode não ficar empolgado, mas terá paz se aquilo que você deseja vem de Deus. Aguarde pela paz neste dia.

Começando Bem Seu Dia

15 DE JUNHO

Reconheça o Chamado dele

Por esta razão, pois, te admoesto que reavives (reacenda as brasas, atices a chama, e a mantenha ardendo) o dom [gracioso] de Deus que há em ti [o fogo interior] pela imposição das minhas mãos.

2 TIMÓTEO 1.6

Antes que soubesse que fora chamada a pregar, secretamente eu tornava a pregar cada sermão que tinha acabado de ouvir pensando: *Eu teria dito isso e teria feito dessa forma.* Então, dizia a mim mesma: *Ora, mulheres não pregam!* Mas o meu espírito estava ardendo com a unção da pregação porque eu tinha essa mesma unção.

Se você foi chamado para fazer algo, se sentirá empolgado na presença de alguém que opere nessa mesma ação. Por exemplo, se você tem a unção para liderar a adoração ou fazer música, provavelmente, ficará mais empolgado com a música do que com sermão pregado. Quando estiver em dúvida, peça a Deus que torne claro o chamado dele.

16 DE JUNHO

O Ferro Afia o Ferro

Como o ferro com o ferro se afia, assim, o homem, (ao caráter do) ao seu amigo [seja mostrando uma atitude irada ou demonstrando um propósito digno].

PPROVÉRBIOS 27.17

Se você quiser fazer algo para Deus, não se associe com pessoas que nada fazem. Você pode ter que mudar drasticamente a sua vida se quiser prosseguir rumo ao que Deus o chamou para fazer. Passe tempo com pessoas que sabem como usar seus dias da forma certa.

Assim como o ferro amolda o ferro, pessoas positivas o inspirarão a ser positivo. Pessoas piedosas o inspirarão a usar sua fé para realizar para o Senhor o que está em seu coração. Passe tempo com pessoas que estão fazendo algo para Deus. Eliseu recebeu porção dobrada da unção de Elias, mas teve de permanecer ao lado dele por um longo tempo para obtê-la (veja 2 Reis 2.1-14).

JOYCE MEYER

17 DE JUNHO

Siga os Desejos do Seu Coração

Ao homem que teme ao Senhor, ele o instruirá no caminho que deve escolher. Na prosperidade repousará a sua alma, e a sua descendência herdará a terra.

SALMOS 25.12-13

Para desfrutar sua vida, comece a seguir os desejos dados por Deus em seu coração em vez dos desejos da sua carne. Você poderá precisar amadurecer na fé antes de saber a diferença entre sua carne e os desejos do Espírito.

Uma forma de dizer se você está seguindo o desejo de sua carne é que, quando você começar a fazê-lo, perderá sua paz e enfrentará um conflito. Se isso não é de Deus, você se sentirá empurrando um cavalo empacado montanha acima. Se for um desejo do Espírito, funcionará como uma máquina bem calibrada. Fluirá, com o que chamo de "tranquilidade santa". Comece o dia da forma certa e siga seu coração.

18 DE JUNHO

Receba a Paz de Deus

... e, porém, algum de vós necessita de sabedoria, peça-a a Deus, que a todos dá liberalmente e nada lhes impropera; e ser-lhe-á concedida.

TIAGO 1.5

Seja cuidadoso quando alguém fizer uma sugestão que lhe pareça boa; nem toda boa ideia é uma ideia dada por Deus. Não corra para tomar uma decisão e aceitar nova responsabilidade sem primeiramente orar a respeito.

Diminua a marcha o suficiente para pedir sabedoria a Deus e ouça a orientação dele. Tome um pouco de tempo para certificar-se de que você tem paz sobre essa ideia. Se não tiver, nem mesmo queira compreender por que você não tem paz. Apenas não faça!

Começando Bem Seu Dia

19 DE JUNHO

Qualidade É Melhor que Quantidade

De noite indago o meu íntimo, e o meu espírito perscruta (em meu coração medito
e meu espírito pondera diligentemente).

SALMOS 77.6

Deus está mais interessado na qualidade daquilo que você aprende do que na quantidade de ensino ao qual você se expõe. Ele prefere que você leia um versículo e receba revelação disso do que dois livros inteiros da Bíblia e não seja capaz de compreender o que acabou de ler.

Atente para as mensagens que o Senhor está especificamente lhe dando quando ouvir um ensino pela TV, pelo rádio, por áudios de sermões, por uma reunião da igreja ou por meio de um estudo bíblico semanal. Peça a Deus que lhe mostre como aplicar o que você ouve em sua própria vida. Medite na Palavra todo dia e busque formas de usar o que aprendeu. Então, você saberá que está desfrutando um verdadeiro tempo de qualidade com Deus.

20 DE JUNHO

Estude Diariamente

Medita estas coisas e nelas sê diligente [praticando e cultivando como seu ministério], para que o
teu progresso a todos seja manifesto.

1 TIMÓTEO 4.15

O trecho de 2 Timóteo 2.15 (AMP) diz: "Estude, zele e empenhe-se para apresentar-se a Deus aprovado (testado pela provação), como um obreiro que não tem motivos para se envergonhar, corretamente examinando e cuidadosamente partilhando (manuseando corretamente e ensinando habilmente) a Palavra da verdade".

É difícil crescer se você não gosta de ler a Palavra. Se Satanás criou obstáculos para impedi-lo de ler a Palavra, exerça sua autoridade sobre ele. Declare seu amor pela Palavra e, então, leia, mesmo se for apenas poucas páginas em um dia. Seu desejo por mais crescerá rapidamente. Se você verdadeiramente não gosta de ler, então ore para que Deus lhe dê o desejo para fazê-lo imediatamente.

21 DE JUNHO

Decida como Viver

Porque pela graça (favor imerecido de Deus) sois salvos (libertos do juízo e tornados participantes da salvação de Cristo), mediante a fé; e isto [a salvação] não vem de vós [de sua própria obra, nem do seu próprio esforço]; é dom de Deus.

EFÉSIOS 2.8

Você pode viver sob a lei do pecado e da morte, com suas regras e regulamentos; ou pode viver sob a lei do Espírito da vida em Cristo Jesus, que pela graça o colocou livre da lei do pecado e da morte (veja Romanos 8.2).

Gálatas 5.4-5 explica que a lei não nos leva a lugar algum, além de nos separar de Cristo. Mas o Espírito Santo nos ajudará a nos moldarmos à vontade de Deus em propósito, pensamentos e ações. Escolha a lei da vida e diga: "Hoje desfrutarei um dia pleno de graça".

22 DE JUNHO

Deixe Deus Guiar os Outros

Com efeito, dos que em ti esperam (confiam e aguardam esperançosamente) , ninguém será envergonhado; envergonhados serão os que, sem causa, procedem traiçoeiramente.

SALMOS 25.3

Nosso dia poderia ser melhor se todos simplesmente fizessem o que lhes dizemos para fazer. Mas Deus não esmaga a vontade das pessoas, e nem nós podemos fazê-lo. Em vez de tentar controlar as pessoas, ore para que elas "ouçam" a direção de Deus.

Se alguém persiste em fazer algo do seu próprio jeito hoje, mostre sua confiança em Deus não interferindo. Você pode perceber que sua opinião está errada, ou eles podem descobrir que você está certo. Deus é grande o suficiente para tirar tanto você quanto eles de qualquer confusão em que estiverem. De qualquer forma, Deus terá a glória se você colocar sua confiança nele.

Começando Bem Seu Dia

23 DE JUNHO

Não Tenha Medo de Parar

Os pensamentos do [inflexivelmente] justo são retos (honestos e confiáveis),
mas os conselhos do perverso, engano.

PROVÉRBIOS 12.5

Não tenha vergonha de voltar atrás se estiver fazendo algo e descobrir que Deus não está nisso. Apenas esteja seguro o suficiente para simplesmente dizer: "Pensei que isso fosse de Deus, mas não é, e não vou prosseguir fazendo-o".

Você pode ter que desculpar-se com os outros se você os levou a algum problema ou confusão. Mas não há vergonha em admitir rapidamente que você estava errado. É mais importante não continuar com um erro do que tentar evitar que as pessoas saibam que você errou. Não tenha medo de dizer: "Não ouvi a Deus". A honestidade manterá seu dia correndo completamente bem.

24 DE JUNHO

Aguarde pela Paz

O coração do homem traça o seu caminho, mas o Senhor lhe dirige os passos.

PROVÉRBIOS 16.9

Talvez você tenha de começar a caminhar para descobrir a coisa certa a fazer. Se você não enxerga claramente a vontade de Deus, apenas caminhe na direção que pensa que deve ir e, então, aguarde a paz. Se você perder sua paz, volte ao ponto de partida.

Dave e eu quase compramos duas casas diferentes para abrigar nosso ministério. Já estávamos em negociações, e uma manhã, após orar, Dave disse: "Joyce, não sinto paz para comprar esse prédio. Sinto como se Deus estivesse me dizendo: 'Se você comprar esse imóvel, lamentará mais tarde'". Então, aguardamos pela paz, e agora temos um prédio que está completamente pago e com espaço para ampliação. Ore até obter paz.

25 DE JUNHO

Siga a Direção de Deus

Confia ao Senhor as tuas obras [consagre-as e confie totalmente a Ele, e Ele levará seus pensamentos a tornarem-se ajustados à sua vontade, e], e os teus desígnios serão estabelecidos.

PROVÉRBIOS 16.3

Tentar imaginar tudo o que pode acontecer antes que você obedeça à vontade de Deus roubará sua alegria. Deus não lhe dá respostas assim que você faz a pergunta: "Por que, Deus, por quê"? Confiar significa que você nem sempre terá respostas quando você as deseja. Algumas vezes você apenas terá de chegar do outro lado de uma situação para entender todo o quadro do que Deus está fazendo em sua vida.

Deus pode tentar separá-lo de algumas influências que o estão impedindo de receber o plano melhor que Ele tem para você. Ele pode ter de "podá-lo" para estimular um crescimento novo e mais saudável (veja João 15.1-8). Utilize os tempos de incerteza para demonstrar sua fé ao permanecer confiando em Deus.

26 DE JUNHO

Deixe os Desapontamento para Trás

Aquele, entretanto, que guarda (entesoura) a sua palavra [que carrega na mente seus preceitos, que observa sua mensagem em sua totalidade], nele, verdadeiramente, tem sido aperfeiçoado o amor de Deus (alcançando a plenitude e maturidade).

1 JOÃO 2.5

Pode ser desapontador quando pessoas que estão próximas a nós não fazem o que gostaríamos que fizessem. Mas, se realmente as amamos, devemos encorajá-las a seguir o Espírito Santo em vez de tentarmos nos manter felizes o tempo todo.

Ajude os outros a crescer espiritualmente ao encorajá-los a ouvir a voz de Deus. Lembre-os de que Deus os ajudará por meio dos erros e os guiará a uma vida abençoada. Logo eles tomarão decisões dirigidas pelo Espírito, e não pelas pessoas. É tremendamente gratificante ver nossos amados amadurecerem espiritualmente em Cristo.

Começando Bem Seu Dia   99

27 DE JUNHO

A Lei do Espírito

Eis que Deus é a minha salvação; confiarei e não temerei, porque o Senhor Deus é a minha força e o meu cântico; ele se tornou a minha salvação.

ISAÍAS 12.2

A vida não é apenas uma grande festa; há sempre momentos difíceis e agradáveis misturados aos acontecimentos de sua vida. A despeito do que o dia de hoje possa trazer, você pode ainda ter alegria no Senhor, e essa alegria lhe dará forças para lidar com o tudo que acontecer em seu caminho.

Quando você segue a Jesus, a lei do Espírito da vida o mantém livre para desfrutar a si mesmo porque você pode lançar seus cuidados ao Senhor (veja Romanos 8.2). Deus o guiará para saber o que fazer e lhe dará forças para fazer o que precisa ser feito. Você não será enfraquecido pelas coisas da vida, mas crescerá por meio das tribulações e dos triunfos enquanto caminhar com Deus hoje.

28 DE JUNHO

Faça Tudo o que Deus Diz

... a fim de que o preceito da lei se cumprisse em nós, que não andamos segundo a carne, mas segundo o Espírito [nossa vida não é governada pelos padrões e de acordo com as inclinações da carne, mas controlada pelo Espírito Santo].

ROMANOS 8.4

"Nele vivemos, nos movemos e existimos" (Atos 17.28). Deus é tudo. Fale com Ele durante todo o dia, cada vez que você precisar tomar uma decisão ou vencer algo negativo. Aquilo que Ele lhe disser para fazer, faça. Se Ele lhe disser para não fazer, não faça. Você não pertence a si mesmo, mas a Deus.

Ensinos religiosos tentam estipular o que Deus quer de você. Mas Ele escreverá em seu coração o que é bom e o que é ruim. Ele lhe falará em sua consciência interior e o manterá seguro à medida que você prestar atenção na voz dele e fizer o que Ele lhe disser. Durante este dia, ocasionalmente, pare o que estiver fazendo e pergunte a Deus se há algo que Ele queira lhe falar.

29 DE JUNHO

O Amor É a Lei Suprema

O amor não pratica o mal contra o próximo [nunca causa dano a alguém];
de sorte que o cumprimento da lei é o amor.
ROMANOS 13.10

Há coisas que não devemos fazer, simplesmente, porque amamos a Deus e porque não queremos machucar a consciência de outra pessoa. Podemos ter liberdade para fazer todas as coisas, mas nossa liberdade poderá ofender os outros ou ferir-lhes a consciência, e isso é pecado contra Deus.

Se você caminhar em amor hoje, pode haver coisas que você tem direito a fazer, mas o Espírito Santo o aconselhará a não fazê-las por causa do amor a alguém que pode ser ferido ao observar sua atitude. O amor nunca pensa em seus próprios interesses (veja 1 Coríntios 13.5). O amor é sempre a lei suprema.

30 DE JUNHO

Vista a Armadura Certa

Saberá toda esta multidão que o Senhor salva, não com espada, nem com lança;
porque do Senhor é a guerra,
1 SAMUEL 17.47

Quando Davi estava prestes a enfrentar Golias, todos ao seu redor disseram: "Davi, você não pode fazer isso"! Mas Deus deu um "conhecimento" interior a Davi de que ele seria bem-sucedido no nome do Senhor. Quando o rei Saul decidiu deixar Davi lutar, ele lhe deu sua armadura, mas Davi respondeu: "Não posso usá-la, porque não estou acostumado com isso" (veja 1 Samuel 17.31-39). Davi sabia que ele deveria ir, no nome do Senhor, apenas com sua funda (veja versículos 40-50).

Se você tem batalhas a enfrentar na vida, não deixe que outros lhe digam como lutar. Deus, pessoalmente, o instruirá como deve agir. A Palavra é sua arma; eis por que há uma necessidade vital de armar-se com conhecimento e passar tempo na presença de Deus antes de enfrentar qualquer gigante.

Começando Bem Seu Dia

1º DE JULHO

O Plano de Deus É Melhor

Porque a lei do Espírito da vida, [a qual está] em Cristo Jesus, [a lei do nosso novo ser] te livrou da lei do pecado e da morte.

ROMANOS 8.2

A lei do Espírito da vida em Cristo Jesus nos libertou da lei do pecado e da morte. Somos livres da lei do pecado e da morte somente à medida que seguimos a lei do Espírito. Quando sabemos o que é certo, mas insistimos em fazer o que é errado, nossas ações podem nos levar a perder a vida abundante que Deus tem para nós na Terra.

Siga a lei do Espírito e você permanecerá completamente livre da lei do pecado e da morte. O Espírito Santo o levará à santidade, à justiça, ao pleno propósito que Deus tem para sua vida. A vontade de Deus para você é maior do que tudo que possa imaginar. Deseje obedecer a Deus mesmo quando não compreender o que Ele está fazendo em sua vida.

2 DE JULHO

Siga as Prioridades de Deus

As minhas ovelhas ouvem a minha voz; eu as conheço, e elas me seguem.

JOÃO 10.27

Muitas pessoas tentam se sentir espirituais ao obedecerem a leis religiosas, mas nunca são bem-sucedidas porque há sempre alguma outra lei para seguir. Eis por que Deus não define nossa justiça por nossas boas obras, mas pela nossa fé em Jesus. Sentimos paz interior quando obedecemos à voz do Espírito Santo.

Deus pode lhe dizer que é mais importante doar algo que goste muito do que tentar agradar-Lhe ao ler a Bíblia inteira em um ano. Deus pode considerar mais importante que você apenas permaneça em silêncio, se Ele lhe disse para fazê-lo, do que se oferecer para todas as atividades na igreja. Seus caminhos não são nossos caminhos (veja Isaías 55.8-9). Assim, aprenda a ouvir a direção dele dia a dia.

3 DE JULHO

Tenha Alegria

Porque o reino de Deus não é comida nem bebida, mas justiça, paz, e alegria no Espírito Santo.
Aquele que deste modo serve a Cristo é agradável a Deus e aprovado pelos homens. Assim, pois,
seguimos as coisas da paz e também as da edificação de uns para com os outros.

ROMANOS 14.17-19

As coisas em sua vida não precisam ser sempre tão sérias para parecerem espirituais. Se você é cheio do Espírito de Deus, tudo o que fizer tem conotação espiritual. Você pode viver uma vida santa e, ainda assim, desfrutar seu dia.

Deus mede a santidade pela rapidez com que obedecemos à Sua voz. Ele promete que a bondade e a misericórdia nos seguirão se buscarmos a presença dele (veja Salmos 23.6). Ele pode até encorajá-lo a simplesmente estar alegre hoje.

4 DE JULHO

Trate Bem a Si Mesmo

Por que estás abatida, ó minha alma? Por que te perturbas dentro de mim? Espera em Deus,
pois ainda o louvarei, a ele, meu auxílio e Deus meu.

SALMOS 42.5

Deus lhe deu emoções, assim, não funciona tentar ignorá-las completamente. Você cometerá um grande erro caso se recuse a satisfazer suas necessidades emocionais. Se você está cansado, deve descansar. Se está estressado, precisa de alguma diversão.

Se você precisa de encorajamento, passe tempo com alguém que sabe como encorajá-lo. Não ignore suas necessidades emocionais em nome de uma postura cristã. Você é uma pessoa inteira: espírito, alma e corpo (veja 1 Tessalonicenses 5.23). Deus lhe mostrará como ser forte em todas as áreas de sua vida.

Começando Bem Seu Dia

5 DE JULHO

Estabeleça Prioridades

Os teus olhos me viram a substância ainda informe, e no teu livro foram escritos todos os meus dias, cada um deles escrito e determinado, quando nem um deles havia ainda.

SALMOS 139.16

Determine-se a desfrutar a vida abundante que Jesus deseja para você. O diabo sempre tentará mantê-lo perturbado. O ativismo da sociedade de hoje pode tornar a vida uma confusão. A maioria das pessoas tem muito estresse, pressão contínua e, realmente, muito que fazer. Estabeleça prioridades. Comece seu dia com Deus. Determine-se a seguir sua direção durante todo o dia e você desfrutará cada dia de sua vida, e não apenas os finais de semana, férias ou dias ensolarados quando o clima está perfeito. Caminhar com Deus lhe dará prazer e tranquilidade mesmo quando as coisas não acontecerem da forma que você esperava.

6 DE JULHO

Desembarace-se

Desembaraçando-nos de todo peso e do pecado que tenazmente nos assedia, corramos, com perseverança, a carreira que nos está proposta, olhando firmemente para o Autor e Consumador da fé, Jesus.

HEBREUS 12.1-2

Você já teve de fazer um alvoroço para limpar sua casa ou seu escritório? Você já sentiu prazer em jogar fora lixo, consertar objetos e organizar materiais para que pudesse encontrá-los sempre que precisar?

Talvez precise de um alvoroço do Espírito Santo para que seja feita uma arrumação em sua própria vida. Diga: "Já vivi durante muito tempo nesta escravidão. Já tive pensamentos negativos por tempo suficiente, já tive de enfrentar durante muito tempo as mentiras do diabo. Não vou continuar mais com esses dias ruins, não irei mais sentir-me desencorajado, deprimido ou desanimado. Vou desfrutar minha vida"!

Jesus está pronto a ajudá-lo a viver sua vida em plenitude!

7 DE JULHO

Alegria Indizível

Ora, àquele que é poderoso para vos guardar de tropeços (desvios e quedas) e para vos apresentar com exultação [com prazer extasiante e alegria indizível], imaculados (irrepreensíveis e inculpáveis) diante da sua glória.

JUDAS 1.24.

Eu costumava me sentir tão miserável quando ia me deitar que desejava que chegasse logo o momento de me levantar. Quando me levantava, sentia-me tão miserável que desejava que chegasse logo o momento de me deitar. Eu estava sob a maldição de não obedecer à voz do Senhor ou servi-lo com plena alegria (veja Deuteronômio 28.15-48).

A obediência a Deus enche nossa vida com tanta alegria que nem mesmo sabemos falar a respeito. A Bíblia chama esse sentimento de "alegria indizível e cheia de glória" (1 Pedro 1.8). Experimente a alegria de estar na grandiosa presença de Deus. Comece seu dia louvando-O pelas bênçãos e adorando-O com um coração pronto a servi-lo.

8 DE JULHO

A Chave para a Alegria

O mesmo Deus da paz vos santifique em tudo [separando-vos das coisas profanas, tornando-vos puros e totalmente consagrados a Deus]; e o vosso espírito, alma e corpo sejam conservados [e encontrados] íntegros e irrepreensíveis na vinda de nosso Senhor Jesus Cristo (o Messias).

1 TESSALONICENSES 5.23

A justiça é uma das chaves para desfrutar cada dia de sua vida. Estar num relacionamento correto com Deus é algo disponível a nós simplesmente por meio da nossa fé em Jesus Cristo. Essa segurança nos dá paz em cada situação, e a paz traz alegria.

A Palavra diz para ouvirmos com atenção aquilo que o Senhor nos diz, pois Ele falará de paz aos seus santos (aqueles que estão numa posição correta com Ele), desde que não caiam em insensatez autoconfiante (Salmos 85.8). Antes de fazer planos hoje, ouça a voz de Deus para assegurar-se de que você está seguindo a sua paz nesse dia.

Começando Bem Seu Dia

9 DE JULHO

A Chave para Amar os Outros

Ora, o Senhor da paz, Ele mesmo, vos dê continuamente a paz (a paz do seu reino) em todas as circunstâncias [sobre todas as circunstâncias e condições, quaisquer que sejam].

2 TESSALONICENSES 3.16

A Bíblia diz para amarmos nosso próximo como a nós mesmos (Lucas 10.27). A chave é amar a si mesmo. Você não desfrutará seu dia até aprender a aceitar e desfrutar a si mesmo, porque você tem de comer, de dormir, bem como estar consigo mesmo durante todo o tempo. Até que você se sinta feliz com aquilo que é e onde está hoje em sua vida, nunca aprenderá a amar os outros e a chegar onde quer estar.

Não deprecie a si mesmo a respeito de tudo o que você não fez corretamente ontem. Hoje é um novo dia. Aprenda a amar sua vida, agora mesmo, exatamente onde você está. Diga: "Sou grato por ser filho de Deus, redimido e justo aos olhos dele. Vou me desfrutar durante todo este dia".

10 DE JULHO

Não Importa o que Aconteça

Saireis [do exílio espiritual causado pelo pecado e pelo mal, para a terra da promessa] com alegria e em paz sereis guiados [pelo seu líder, o próprio Deus, e a sua Palavra]; os montes e os outeiros romperão em cânticos diante de vós, e todas as árvores do campo baterão palmas.

ISAÍAS 55.12

A paz não depende das circunstâncias. Nossa paz e nossa alegria são encontradas *no Espírito Santo*. Jesus disse:

"Aquele que crê em mim [que se apóia e confia e conta comigo] como dizem as Escrituras, do seu interior fluirão [continuamente] fontes e rios de água viva. Mas Ele estava falando aqui do Espírito, que aqueles que cressem (confiassem, tivessem fé) nele, posteriormente receberiam." (João 7.38-39 – AMP)

Não importa o que esteja acontecendo hoje, você pode beber do seu próprio poço de alegria por intermédio da presença do Espírito de Deus que habita em seu interior.

11 DE JULHO

Desfrute Tudo o que Faz

Lá, comereis perante o Senhor, vosso Deus, e vos alegrareis em tudo o que fizerdes, vós e as vossas casas, no que vos tiver abençoado o Senhor, vosso Deus.

DEUTERONÔMIO 12.7

Eu detestava ter de esperar no aeroporto, mas Dave sempre queria chegar mais cedo. Finalmente, mudei meu pensamento. É maravilhoso o que acontece quando você decide desfrutar a Deus cada dia. É tão ácil envolver-se com todas suas responsabilidades que você até se esquece de desfrutar o que está fazendo.

Você pode se sentir tão ocupado ao criar seus filhos que se esquece de desfrutá-los. Você pode estar tão ocupado limpando sua casa, tentando pagá-la e reformá-la que se esquece de desfrutá-la. Mas você pode aprender a desfrutar a Deus de tal forma que, não importa o que faça hoje, você verdadeiramente vai dizer: "Eu gosto disso"!

12 DE JULHO

Não se Preocupe

Pois o puseste por bênção para sempre e o encheste de gozo com a tua presença.

SALMOS 21.6

É um processo de aprendizagem impedir que o diabo roube sua alegria, porque constantemente ele tenta novas formas de fazê-lo perder sua paz. Se Satanás rouba sua paz, então ele rouba sua alegria. Seja forte e resista à tentação de Satanás para deixá-lo preocupado.

A Bíblia diz que Deus dá riqueza e possessões, bem como poder para desfrutá-las. Aceitar a porção que lhe foi dada e alegrar-se em seu trabalho é dom de Deus. Nós não nos lembraremos apreensivamente dos dias de nossa vida porque a tranquilidade de Deus estará espelhada em nós (veja Eclesiastes 5.19-20). Determine que deste dia em diante você fará tudo o que puder para manter sua paz e desfrutar sua vida.

Começando Bem Seu Dia

13 DE JULHO

Triunfando sobre os Problemas

E não somente isto, [estejamos cheios de alegria agora!] mas também nos gloriamos nas próprias tribulações, sabendo que a tribulação (pressão, aflição] produz perseverança (e paciência inabalável).

ROMANOS 5.3

Em alguns dias parece que tudo vai mal, uma coisa após a outra, e mais outra. Não fique simplesmente dizendo a si mesmo: "Simplesmente não posso mais suportar isso". Não fale com seus amigos da seguinte forma: "Não aguento mais"!

Não lute contra as mesmas provações dia após dia. Em vez disso, responda ao diabo como Jesus fez (veja Lucas 4.1-13). Se você sentir que a paz e alegria estão se acabando, repreenda Satanás. Se ele tentar roubá-lo, diga-lhe: "Esqueça, diabo; você não conseguirá me perturbar hoje"!

14 DE JULHO

A Alegria o Torna Forte

O caminho de Deus é perfeito; a palavra do Senhor é provada; ele é escudo para todos os que nele se refugiam.

2 SAMUEL 22.31

Neemias 8.10 (AMP) diz: "Não se aflija ou se deprima, pois a alegria do Senhor é a sua força e fortaleza". Estar feliz e alegre o faz forte, e ficar irado e triste o enfraquece. Mas o Senhor é um escudo e Aquele que levanta sua cabeça (veja Salmos 3.3).

Satanás não está procurando roubar sua alegria; ele quer roubar a sua força. O diabo quer que você esteja fraco demais para orar. Ele quer que você esteja exausto e fatigado. Mas o Senhor levantará sua cabeça e o protegerá das tramas do diabo, se você colocar sua confiança nele.

15 DE JULHO

Um Dia de Cada Vez

O meu Deus, o meu rochedo em que me refugio; o meu escudo, a força da minha salvação, o meu baluarte e o meu refúgio. Ó Deus, da violência tu me salvas.

2 SAMUEL 22:3

Tribulações podem vir como um trem de carga, uma após a outra, mas, finalmente, o último vagão passará. Quando os problemas parecem não cessar, lembre-se de que "isso também vai passar". Lide com uma tribulação de cada vez no poder do Espírito Santo até a série de problemas passar. Deus lhe dará uma unção fresca diariamente para lidar com cada coisa que vier à sua vida.

Cada vez que enfrentar um dia difícil, você pode esquecer disso, adormecer e começar renovado no dia seguinte. Assim, você pode também desfrutar os dias difíceis, porque o favor de Deus dura toda a vida; o choro pode durar uma noite, mas a alegria vem pela manhã (veja Salmos 30.5).

16 DE JULHO

Experimente a Alegria *do Senhor*

Todavia, eu me alegro no Senhor, exulto no Deus da minha salvação.

HABACUQUE 3.18

Deus nos criou com a habilidade de rir, assim nós precisamos rir. A Palavra diz: "O coração alegre é um bom remédio e uma mente satisfeita opera a cura" (Provérbios 17.22). Jesus disse que a alegria dele estaria em nós para que pudéssemos experimentar Sua satisfação; Ele quer encher nosso coração com a alegria dele (veja João 17.13). Jesus quer que experimentemos Sua alegria, não apenas preguemos sobre ela ou leiamos a respeito dela.

A alegria depende grandemente da maneira como vemos a vida. Assim, se você precisa de ajuda para recuperar seu senso de humor, peça a Deus para lhe mostrar o lado engraçado da vida hoje. Não hesite em rir quando subitamente sentir-se alegre; você rapidamente descobrirá que a alegria é contagiante.

Começando Bem Seu Dia

17 DE JULHO

Siga o Fluir

Sim, irmãos, por isso [a despeito de tudo], fomos consolados acerca de vós,
pela vossa fé [a entrega de todo seu ser a Deus em completa fé e confiança],
apesar de todas as nossas privações e tribulação.

1 TESSALONICENSES 3.7

Siga tranquilamente com a corrente e pare de ficar ansioso por coisas que podem nunca vir a acontecer. Se você realmente confia em Deus, não precisará de um plano B. A fé significa que você tem paz mesmo quando não tem todas as respostas.

A vida sempre será estressante se você constantemente tentar reorganizar tudo. Por exemplo, ficar transtornado num congestionamento não o fará sair dele mais rapidamente. Mas planejar as coisas, antevendo possíveis obstáculos, o inspirará a sair um pouco mais cedo para seus compromissos e o impedirá de sentir-se irritado. Cresça em sabedoria e estabeleça como sua suprema prioridade manter sua paz a despeito de qualquer congestionamento que enfrentar hoje.

18 DE JULHO

Desfrute os Dias Comuns

Os que com lágrimas semeiam com júbilo ceifarão.

SALMOS 126.5

Os nossos dias no Reino de Deus são como sementes lançadas sobre a terra. Devemos continuar a dormir e acordar, noite e dia, enquanto as sementes que lançamos por meio das nossas palavras e obras brotam e crescem (veja Marcos 4.26-28).

A maior parte dos nossos dias não é cheia de coisas empolgantes, e alguns dias são mais difíceis de enfrentar do que outros. Mas podemos aprender a desfrutar tanto os dias comuns quanto os dias desafiadores em nossa vida. Assim como a terra produz primeiramente o ramo, depois a espiga e, finalmente, a espiga cheia de grãos, nossa vida produz uma grande colheita vinda pela nossa fidelidade ao semearmos de forma justa.

Continue a fazer o que você sabe que é certo e desfrute este dia comum. Você está um dia mais próximo de uma alegre colheita.

19 DE JULHO

Permaneça Estável

O [inflexivelmente] justo florescerá como a palmeira [terá longa vida, dignidade, retidão, habilidade e frutificação]), crescerá como o cedro no Líbano [majestoso, estável, durável e incorruptível].

SALMOS 92.12

Tiago 1.12 (AB) diz: "Bem aventurado (feliz, admirável) é o homem que pacientemente sofre a tribulação e permanece firme durante a tentação, pois, quando enfrentar o teste e for aprovado, receberá a coroa [de vitória] da vida à qual Deus prometeu aqueles que o amam".

Não se perturbe se alguém lhe fizer passar alguma dificuldade hoje, se não conseguir fazer tudo o que planejou ou se alguém diz ou faz algo de que você não goste. Se você estiver prestes a ter uma crise, permaneça estável; é somente uma prova.

20 DE JULHO

Faça o Seu Melhor

Se, todavia, alguém pecar, temos Advogado (alguém que intercede por nós) junto ao Pai, [é] Jesus Cristo, o Justo; e ele [o mesmo Jesus] é a propiciação (o sacrifício expiatório) pelos nossos pecados e não somente pelos nossos próprios, mas ainda pelos [pecados] do mundo inteiro.

1 JOÃO 1.1-2

Você é responsável pelas pessoas, mas Deus não o fez responsável pela alegria das pessoas. Você pode ter filhos, irmãos ou um esposo que Deus lhe deu para amar e cuidar, que podem parecer desinteressados pelo seu testemunho. Algumas pessoas simplesmente se recusam a ser felizes, portanto, não deixe que elas roubem sua alegria.

Você não pode consertar as pessoas e não deve assumir a culpa por tudo o que acontece de errado na vida dos outros. Obviamente, você não pode fazer que todos que conhece creiam em Jesus. Mas você pode se levantar toda manhã, fazer seu melhor e, então, confiar em Deus para fazer o resto.

Começando Bem Seu Dia   111

21 DE JULHO

Deus Está Sempre Trabalhando

Finalmente, irmãos, nós vos rogamos e exortamos [em virtude da nossa união] no Senhor Jesus que [sigam as instruções, as quais] como de nós recebestes, quanto à maneira por que deveis viver e agradar a Deus, e efetivamente estais fazendo, continueis progredindo cada vez mais [buscando a perfeição cada vez maior ao viver dessa forma].

1 TESSALONICENSES 4.1

Em 1 Tessalonicenses, Paulo escreveu: "Quando vocês receberam a mensagem de Deus [a qual ouviram] de nós, a receberam não como palavra de [meros] homens, mas como na verdade é, a Palavra de Deus, *a qual efetivamente opera em vocês que creem* [exercitando seu poder sobrenatural naqueles que aderem, confiam e se apoiam nela]" (grifo da autora).

A Bíblia diz que a Palavra de Deus opera naqueles que creem. Assim, não importa o que você veja hoje, creia que Deus está trabalhando para que milagres aconteçam em sua vida.

22 DE JULHO

Vendo o que É Invisível

Revesti-vos, pois, como eleitos de Deus (seus próprios representantes), [que são] santos e amados [pelo próprio Deus, ao ter um comportamento], de ternos afetos de misericórdia, de bondade, de humildade, de mansidão, de longanimidade [a qual é incansável e paciente, que tem o poder de perseverar diante de tudo o que acontece, com um bom temperamento].

COLOSSENSES 3.12

Quando você ora por outras pessoas, pode lhe parecer que elas pioraram em vez de terem melhorado. O diabo quer desencorajá-lo a crer que Deus está respondendo suas orações. O apóstolo Paulo disse que ele aprendeu a não estar desencorajado mesmo diante de tribulações terríveis. Ele disse que olhava para as coisas invisíveis, e não para as coisas que se vêem (veja 2 Coríntios 4.8).

Permaneça crendo, e o poder do Espírito Santo o encherá com alegria e paz até você transbordar com esperança (veja Romanos 15.13). Sempre creia que Deus responde às suas orações.

23 DE JULHO

Ignore as Distrações

Então, eles, levantando os olhos, a ninguém viram, senão Jesus.
MATEUS 17.8

Nossas próprias falhas podem nos distrair de mantermos nossos olhos em Jesus. Se pensarmos muito a respeito do que está errado conosco, nos esqueceremos do que Deus pode fazer por nosso intermédio. Se olharmos muito para o que nos falta, esqueceremos de agradecer por aquilo que já temos.

A Bíblia diz que devemos nos desvencilhar de tudo aquilo que nos distrai e fixar os olhos em Jesus (veja Hebreus 12.2). Se sua fé começa a oscilar, coloque rapidamente seus olhos em Jesus, que é a fonte e o incentivo para sua fé. Lembre-se de como Ele enfrentou a cruz, desprezando e ignorando a vergonha, pela alegria de ganhar você para Si mesmo. Ele promete levar sua fé à maturidade e à perfeição.

24 DE JULHO

Seja Grato

Regozijai-vos sempre [em sua fé, alegrai-vos e sejam continuamente grato]. Orai sem cessar [orando perseverantemente]. Em tudo [não importa quais sejam as circunstâncias], dai graças, porque esta é a vontade de Deus em Cristo Jesus [O Revelador e Mediador de sua vontade] para convosco. Não apagueis (suprimais ou subjugueis) o Espírito [Santo].
1 TESSALONICENSES 5.16-19

Seja grato por tudo e cuidadoso para não apagar o Espírito Santo ao murmurar, ou você perderá sua alegria. Você pode ser grato, não importa quais sejam suas circunstâncias.

Renove sua mente com os ideais e a perfeição de Deus (veja Romanos 12.2). Se você passar tempo na presença de Deus, pensará de forma diferente sobre si mesmo e sobre as pessoas ao seu redor. Você terá a mente de Cristo e será cheio do seu amor.

Começando Bem Seu Dia   113

25 DE JULHO

A Disciplina Traz Sucesso

De lá, buscarás (desejarás e procurarás como uma necessidade) ao Senhor, teu
Deus, e o acharás, quando o buscares (verdadeiramente) de todo o teu coração
e de toda a tua alma (e mente).

DEUTERONÔMIO 4.29

Provérbios 5.23 (AMP) diz que uma pessoa "morrerá pela falta de disciplina e instrução, e a grandeza da sua tolice o desviará e o fará se perder". Isso não significa necessariamente que uma pessoa morrerá imediatamente, mas a falta de disciplina a levará a situações que causam a morte.

Em seu livro *A Pursuit of God*, A. W. Tozier diz (parafraseado) que Deus coloca em nós o desejo de buscá-lo, mas temos de nos disciplinar para buscarmos a presença dele, pois podemos nos tornar muito passivos esperando que Deus inicie um relacionamento conosco. Se você quiser ter uma vida bem-sucedida, discipline-se a buscar a Deus dia após dia.

26 DE JULHO

Vida Equilibrada

Bem-aventurado (feliz, afortunado, admirável) o homem, Senhor, a quem tu repreendes, a quem
ensinas a tua lei, para lhe dares descanso dos dias maus.

SALMOS 94.12-13

Uma pessoa preguiçosa e passiva não é feliz.

Uma pessoa passiva é alguém que *deseja* que algo de bom aconteça, e apenas se senta e espera para ver se aquilo acontece. Pessoas bem-sucedidas vivem vidas disciplinadas.

1 Pedro 5.8 (AMP) diz: "Seja equilibrado (temperante, sóbrio de mente), vigilante e cauteloso em todos os momentos". O diabo gostaria que você se desequilibrasse em alguma área, mas permaneça firme em Deus, "e Ele mesmo completará e fará o que você deve ser, Ele o estabelecerá, firmará e seguramente o fortalecerá" (versículo 10).

27 DE JULHO

Deus Trabalha Enquanto Você Descansa

Ora, àquele que é poderoso (em consequência da ação de seu poder) para fazer [cumprir seu propósito] infinitamente mais do que tudo quanto (ousadamente) pedimos ou pensamos, conforme o seu poder que opera em nós [infinitamente além de nossas orações, desejos, pensamentos, esperanças ou sonhos mais elevados].

EFÉSIOS 3.20

Ser bem equilibrado significa que você não fará demais alguma coisa e deixará de fazer o suficiente de outra. Se você se desequilibrar por muita disciplina, pode se tornar legalista, rígido e desagradável! Aprenda a ser alegre também.

Não gaste o dia inteiro trabalhando, mas também não passe o tempo todo descansando. Peça a Deus que o ajude a equilibrar o trabalho árduo e o descanso. Pare de trabalhar tempo suficiente para ser grato por tudo que Deus lhe dá, louvando-o durante o dia. E, enquanto você descansa em Deus, Ele continuará a trabalhar em sua vida para ajudá-lo a se tornar tudo o que Ele planejou para você.

28 DE JULHO

Faça de Seu Tempo com Deus uma Prioridade

Sabendo, pois, Jesus que estavam para vir com o intuito de arrebatá-lo para o proclamarem rei, retirou-se novamente, sozinho, para o monte.

JOÃO 6.15

Se o diabo não puder convencê-lo a ser indolente e passivo, ele o conduzirá a querer ser ativo demais. Assim que você sai do equilíbrio, ele pode devorá-lo (veja 1 Pedro 5.8). A palavra *discípulo* vem da palavra *disciplina*. Para ser um discípulo de Jesus, você deve disciplinar-se a seguir os caminhos do Senhor.

Jesus passava bastante tempo fazendo o bem para as pessoas, mas Ele equilibrava seu tempo ao isolar-se para orar e ter comunhão com o Pai. Tempo com Deus renova suas forças para fazer as coisas boas que você quer fazer pelos outros. Viva uma vida equilibrada ao passar tempo com Deus.

Começando Bem Seu Dia   115

29 DE JULHO

Caminhe em Amor

... e andai em amor [estimando-vos e deleitando-vos mutuamente], como também Cristo nos
amou e se entregou a si mesmo por nós [a fim de que nos tornássemos], como oferta e sacrifício
a Deus, em aroma suave.

EFÉSIOS 5.2

Jesus disse: "Se alguém pretende vir após mim, *negue a si mesmo*
[esqueça, ignore, perca de vista a si mesmo e seus próprios interesses] e tome
sua cruz, e [junte-se a mim como um discípulo que esteja do meu lado
e tome parte comigo] siga-me [continuamente, apegando-se permanentemente em mim] (Marcos 8.34 - grifo da autora).

Viver uma vida disciplinada significa colocar de lado sentimentos pes-
soais, discernindo qual escolha é mais importante aos olhos de Deus e,
então, permitir que essa escolha tenha prioridade sobre as outras. Como
Jesus deixou sua vida de lado por você, Ele lhe pede que você deixe seus
interesses de lado por causa dele.

30 DE JULHO

Crucificando Atitudes Egoístas

Vigiai (dêem estrita atenção, sejam cautelosos e ativos) e orai, para que não entreis
em tentação; o espírito, na verdade, está pronto, mas a carne é fraca.

MATEUS 26.41

Para viver em vitória, não podemos tomar decisões de acordo com
o que sentimos, com o que pensamos que queremos. A Palavra
ensina que nascemos com apetites sensíveis à nossa natureza humana. Nossa natureza humana é carnal, não é espiritual. Ela nos manterá escravos do
pecado, a menos que crucifiquemos a carne e sigamos o que o Espírito nos
leva a fazer.

Estudar a Palavra de Deus edificará sua fé e o manterá no caminho
certo: "O sábio o ouvirá e crescerá em conhecimento, e a pessoa de compreensão terá habilidade e alcançará o conselho sábio [para que possa ser
capaz de manter seu curso corretamente]" (Provérbios 1.5).

31 DE JULHO

Escolha o Caminho Estreito

Entrai pela porta estreita (larga é a porta, e espaçoso, o caminho que conduz para a perdição, e são muitos os que entram por ela), porque estreita (contraída pela pressão) é a porta, e apertado, o caminho que conduz para a vida, e são poucos os que acertam com ela.

MATEUS 7.13-14

Mesmo quando sabemos a coisa certa a fazer, pode ser difícil fazê-la se não desejarmos. Podemos querer ficar na cama muito mais tempo do que deveríamos, mesmo quando não estamos com sono. Algumas vezes sabemos que devemos manter nossa boca calada, mas *não gostamos* da ideia.

O caminho para a vitória é estreito e requer disciplina a despeito dos nossos sentimentos. Algumas vezes pode parecer estreito demais, mesmo comprimindo-se para atravessar. Mas a vitória vem por obedecer à Palavra de Deus, a despeito dos nossos sentimentos. Siga a fé, e não os sentimentos, hoje.

1º DE AGOSTO

Não se Desvie das Tarefas Difíceis

Toda disciplina, com efeito, no momento não parece ser motivo de alegria, mas de tristeza; ao depois, entretanto, produz fruto pacífico aos que têm sido por ela exercitados, fruto de justiça [uma colheita de frutos que consiste em justiça, em conformidade com a vontade de Deus em propósito, pensamento e ação, resultante de viver corretamente e permanecer de forma reta com Deus].

HEBREUS 12.11

Uma pessoa indisciplinada busca atalhos para evitar o trabalho árduo. A passividade prevalece em nossa cultura; tudo gira em torno de facilitar a vida: subir pela escada rolante, tomar o elevador, comer num *fastfood*. Mas o caminho mais fácil nem sempre é o melhor.

Assim como precisamos exercitar nosso corpo, também precisamos exercitar nossa fé para enfrentar os desafios. Use sua fé para perdoar àqueles que o ofenderam e confie em Deus quando não puder ver a solução para sair dos problemas. Logo você desfrutará uma colheita de justiça por causa da disciplina a que se submete hoje.

Começando Bem Seu Dia

2 DE AGOSTO

Utilize Bem Seu Tempo

Onde está o sábio (o filósofo)? Onde, o escriba (o teólogo)? Onde, o inquiridor (o lógico, debatedor) deste século? Porventura, não tornou Deus louca a sabedoria do mundo?

1 CORÍNTIOS 1.20

Em Efésios 5.15-17, a Palavra de Deus diz que devemos viver com um propósito, usando a sabedoria como pessoas inteligentes e sensíveis. Isso significa fazer o máximo com o tempo que nos é dado. A cada um de nós é dada a mesma medida de tempo, mas nem sempre usamos a sabedoria para nos impedir de desperdiçá-lo.

Devemos usar cada oportunidade que pudermos para cumprir nosso propósito na Terra, o qual é amar a Deus e os outros. O versículo 17 diz: "Por esta razão, não vos torneis insensatos, mas procurai compreender qual a vontade do Senhor". Passe algum tempo sozinho com Deus para estar certo de que você sabe como usar seu tempo hoje.

3 DE AGOSTO

Palavras São Poderosas

Atentando diligentemente (e guardando uns aos outros), por que ninguém seja faltoso, separando-se da graça (seu imerecido favor e bênção espiritual), de Deus; nem haja alguma raiz de amargura ressentimento (rancor, ressentimento ou ira) que, brotando, vos perturbe, e, por meio dela, muitos sejam contaminados.

HEBREUS 12.15

Jesus disse: "Se você tiver fé (uma confiança verdadeiramente firme) e não duvidar... s*disser* a essa montanha Levanta-te e lança-te ao mar, assim será feito. *E tudo o que você pedir em oração*, tendo fé e [realmente] crendo, você receberá" (Mateus 21.21-22 – grifo da autora).

Não utilize mal o poder das palavras ao *falar muito sem fé* ou ao *falar muito pouco sobre sua fé*. Escolha palavras amáveis e gentis que encorajem as pessoas e desfaçam fofocas e conflitos. Creia que a graça de Deus prevalecerá por meio do que você disser.

4 DE AGOSTO

Disciplina Equilibrada

E andarei com largueza, pois me empenho [e desesperadamente busco] pelos teus preceitos.
SALMOS 119.45

É preciso de disciplina para se ter uma vida equilibrada. Você deve ser disciplinado para orar, para ler e estudar a Palavra, para passar tempo de qualidade em seu relacionamento com o Senhor. Mas você também deve ser disciplinado para passar tempo de qualidade com sua família e cuidar de sua saúde. Você deve disciplinar-se até mesmo para descansar e se divertir.

Examine sua vida hoje e faça o que for necessário para trazer equilíbrio na forma como usa seu tempo. Deus quer que sua vida seja cheia de alegria. O Salmo 23.2-3 ensina que Ele o levará às águas tranquilas e de descanso. Ele refrigerará e restaurará a sua vida. Ele o guiará pelos caminhos da justiça por amor do Seu nome.

5 DE AGOSTO

Escreva a Visão

Não havendo profecia [nenhuma revelação redentora de Deus], o povo se corrompe; mas o que guarda a lei [de Deus, a qual incluiu a lei dos homens], esse é feliz.
PROVÉRBIOS 29.18

O Senhor disse a Habacuque que escrevesse a visão que Deus lhe dera e a gravasse claramente em tábuas para que todos que passassem pudesse lê-la facilmente. Ele prometeu que sua visão se cumpriria no tempo determinado (veja Habacuque 2.2-3).

Se você pedir a Deus que o guie no caminho que deve seguir, haverá um senso de propósito construído dentro de si. Você pode pedir a Deus que o ajude a planejar seu dia, sua semana e sua vida. Eu o encorajo a escrever as coisas que Deus coloca em seu coração para fazer. Escreva a visão e coloque-a onde você possa constantemente lê-la; isso o ajudará a consolidar o plano que Deus colocou em seu coração.

Começando Bem Seu Dia

6 DE AGOSTO

Viva Com um Propósito

Portanto, meus amados irmãos, sede firmes (constantes), inabaláveis e sempre abundantes na obra do Senhor [sempre sendo melhores, excelentes, fazendo mais do que o suficiente no serviço a Deus], sabendo que, no Senhor, o vosso trabalho não é vão [não é inútil ou sem propósito].

1 CORÍNTIOS 15.58

A vida sem propósito é inútil. O dicionário *Webster* define a palavra *propósito* como "algo estabelecido como um objeto ou um fim a ser atingido". Os cristãos devem ser pessoas com um propósito. Todos nós temos o propósito de buscar o Reino de Deus, o qual é a justiça, a paz e a alegria do Senhor no Espírito Santo (veja Romanos 14.17).

Hoje é uma oportunidade para voluntária e deliberadamente buscarmos a Deus com o intuito de conhecê-lo melhor do que o conhecíamos ontem. Hoje podemos, determinadamente, seguir adiante com o propósito de realizar boas coisas para o Reino.

7 DE AGOSTO

Permaneça no Caminho

Os teus olhos olhem direito [com um propósito determinado], e as tuas pálpebras, diretamente diante de ti. Pondera a vereda de teus pés, e todos os teus caminhos sejam retos. Não declines nem para a direita nem para a esquerda; retira o teu pé do mal.

PROVÉRBIOS 4.25-27

Jesus sabia qual era seu propósito. Ele disciplinou-se para permanecer na jornada, vendo sua vida para cumprir o propósito para o qual veio à Terra. Como cristãos, precisamos seguir seus passos e focarmos em nosso propósito. Fomos comprados por um alto preço para vivermos nossa vida de tal forma que nos tornemos sal da terra e luz do mundo (veja Mateus 5).

Devemos deixar de lado nosso egoísmo, uma vida concentrada em nós mesmos, e vivermos para o aperfeiçoamento dos outros. Então, experimentaremos a "alegria indizível e cheia de glória" (1 Pedro 1.8).

8 DE AGOSTO

Mantenha-se Alerta

Bem-aventurados (felizes, afortunados, admiráveis) aqueles servos a quem o senhor, quando vier, os encontre vigilantes; em verdade vos afirmo que ele há de cingir-se, dar-lhes lugar à mesa e, aproximando-se, os servirá.

LUCAS 12.37

Em Efésios 6.10 (AMP), a Palavra de Deus ensina: "Sejam fortes no Senhor [fortalecidos mediante sua união com Ele); e extraiam suas forças dele [essa força, a qual Ele ilimitadamente provê)". Devemos colocar a armadura de Deus para que não sejamos enganados pelo diabo. O versículo 16 diz: "... embraçando sempre o escudo da fé, com o qual podereis apagar todos os dardos inflamados do Maligno".

No versículo 18, lemos: "... com toda oração e súplica, orando em todo tempo (em cada ocasião, cada momento) no Espírito e para isto *vigiando (mantendo-nos alertas) com toda perseverança* e *súplica* por todos os santos (intercedendo a favor de todo o povo consagrado de Deus)" (grifo da autora).

9 DE AGOSTO

Aja Agora

O Espírito do Senhor está sobre mim, pelo que me ungiu [o Ungido, o Messias] para evangelizar (das boas novas) os pobres; enviou-me para proclamar libertação aos cativos e restauração da vista aos cegos, para pôr em liberdade os oprimidos [aqueles que são afligidos, feridos, esmagados e fragilizados pela calamidade).

LUCAS 4.18

Boas intenções não são atos de obediência, e a procrastinação ou adiamento devora as oportunidades de viver uma vida com propósitos. Faça hoje o que Deus o inspira a fazer.

penas faça o que precisa ser feito, mesmo se a primeira coisa que tiver de resolver seja a louça suja na pia da cozinha ou uma garagem que precisa ser limpa. Se Deus lhe diz especificamente para abençoar alguém e você pretendeu fazê-lo, lembre-se de que *hoje* é o tempo aceitável, *este* é o dia da salvação (veja 2 Coríntios 6.2).

Começando Bem Seu Dia   121

10 DE AGOSTO

Ganhe a Corrida

Mas esmurro o meu corpo [como um boxeador] e o reduzo à escravidão [tratando-o severamente, disciplinando-o duramente], para que, tendo pregado a outros, não venha eu mesmo a ser desqualificado [não suportando o teste, sendo reprovado e rejeitado como um impostor].

1 CORÍNTIOS 9.27

É fácil deixar tarefas desagradáveis para mais tarde, mas Deus quer que seu povo complete a carreira que Ele lhes propõe (veja 2 Timóteo 4.7). Não tenha medo de fazer o que parece ser difícil. Deus o ungirá para fazer tudo o que Ele lhe disser.

Paulo falou dessa corrida por causa do evangelho em 1 Coríntios 9.23-26: "Assim corra a [sua corrida] para que você possa alcançar [o prêmio] e torná-lo seu". Ele disse para se correr com um alvo definido e disciplinar-se para completar a corrida. A graça tornará a vitória mais fácil do que você imagina.

11 DE AGOSTO

Guarde Sua Mente

Eu nada posso fazer de mim mesmo [independentemente; segundo minha própria vontade, mas somente o que aprendi com meu Pai e conforme suas ordens].

JOÃO 5.30

Uma das razões pelas quais as pessoas não concluem as coisas é que elas mentalmente vêem essas tarefas incompletas como monstros invencíveis. Se elas simplesmente agissem, descobririam que tais coisas não seriam tão difíceis de lidar.

1 Pedro diz: "Cinjam suas mentes, sejam sóbrios (circunspetos, moralmente alertas); coloquem sua esperança inteira e imutavelmente na graça (divino favor) que vem a vocês quando Jesus Cristo (o Messias) lhes é revelado". Não deixe sua mente governá-lo. Quando pensamentos de incapacitação lhe encherem a cabeça, pare e lembre-se de que a graça de Deus é suficiente para satisfazer todas as suas necessidades. Apenas faça uma coisa de cada vez e mantenha sua mente na habilidade de Deus, e não em si mesmo.

12 DE AGOSTO

Mantenha uma Atitude Positiva

Guarda o pé [atentes àquilo que estais fazendo], quando entrares na Casa de Deus [como Jacó na sagrada Betel]; chegar-se para ouvir é melhor do que oferecer sacrifícios de tolos [insensatos, irreverentes], pois não sabem que fazem mal.

ECLESIASTES 5.1

Pessoas que têm uma atitude positiva e dizem "Posso fazer isso, e o farei agora mesmo. Isso não é um problema. Tudo funcionará perfeitamente" são ótimas como companhia e como colegas de trabalho, porque enfrentam as coisas e as resolvem.

Se você adiou algo que já deveria ter feito, isso começará a perturbá-lo. Não permita que uma tarefa saia de proporção em sua mente. Mantenha seu pensamento naquilo que você tem de fazer hoje. Se for interrompido, disponha-se a voltar à tarefa e terminá-la. Nada é tão difícil que você não possa fazer se mantiver uma atitude positiva e fizer as coisas à maneira de Deus.

13 DE AGOSTO

Tenha um Plano

Guia-me pela vereda dos teus mandamentos, pois nela me comprazo.

SALMOS 119.35

Vá dormir à noite com um plano para o dia seguinte. Não seja vago sobre o que você espera realizar. Uma manhã, eu estava deitada na cama quando o Espírito do Senhor me disse: "Pare de ser ambígua". O dicionário define a *ambiguidade* como "dúvida ou incerteza"; "algo capaz de ser compreendido através de dois ou mais sentidos".

Não tenha uma mente dobre. Não fique simplesmente esperando para ver o que acontece. Acorde com o plano de colocar Deus em primeiro lugar em tudo o que fizer. A Palavra de Deus é lâmpada para seus pés e luz para o seu caminho (veja Salmos 119.15). Fale com Ele antes de sair da cama; peça-lhe para tornar claro o que você precisa realizar hoje.

Começando Bem Seu Dia   123

14 DE AGOSTO

Desenvolva o Domínio Próprio

Como cidade derribada, que não tem muros, assim é o homem que não tem domínio próprio.

PROVÉRBIOS 25.28

O domínio próprio é um fruto do Espírito (veja Gálatas 5.22-23) e se desenvolve quando passamos tempo nos relacionando com Deus e praticando nossa obediência a Ele. Algumas vezes, preferimos que Deus nos controle e nos faça agir da forma certa, mas Ele quer que nós mesmos aprendamos a governar nosso espírito.

Provérbios 16.32 diz: "Melhor é o longânimo do que o herói da guerra, e o que domina o seu espírito, do que o que toma uma cidade". Exige domínio próprio não ficar ofendido, não tornar-se irado todas as vezes que alguém não faz algo da forma que gostaríamos. O domínio próprio é necessário sobre nossos pensamentos, palavras e apetite. Mas, uma vez que dominamos nosso próprio Espírito, somos considerados poderosos aos olhos de Deus, mais fortes do que alguém que domina uma cidade.

15 DE AGOSTO

Não Seja Preguiçoso

Vês a um homem perito na sua obra? Perante reis será posto; não entre a plebe.

PROVÉRBIOS 20:29

Provérbios 24.30-34 traz um claro alerta sobre a preguiça. A preguiça permite que tudo em nossa vida se torne desordenado e arruinado. Devemos observar o destino de um homem preguiçoso e receber a instrução: "Um pouco para dormir, um pouco para tosquenejar, um pouco para encruzar os braços em repouso, assim sobrevirá a tua pobreza como um ladrão, e a tua necessidade, como um homem armado".

Deus o ajudará a restaurar tudo em sua vida que tenha se tornado desordenado ou destruído. Se você colocar sua confiança nele, Ele transformará sua confusão em seu testemunho. Proponha-se a seguir a Deus deste dia em diante. Guarde-se contra o espírito de preguiça, lance fora a procrastinação e faça o que Deus lhe diz para fazer.

JOYCE MEYER

16 DE AGOSTO

Aprecie a Correção

Feliz (abençoado, afortunado, admirável) o homem que acha sabedoria, e o homem que adquire conhecimento [extraído da Palavra de Deus e das experiências da vida]; porque melhor é o lucro que ela dá do que o da prata, e melhor a sua renda do que o ouro mais fino.

PROVÉRBIOS 3.13-14

Peça a Deus que lhe revele as áreas em que você precisa aplicar o domínio próprio. Você pode até desfrutar a jornada ao tornar-se tudo que Deus tem em mente para sua vida se aprender a apreciar a piedosa correção que vem de outros. Lembre-se: Deus o ama da maneira que você é, mas Ele corrige aqueles que ama (veja Provérbios 3.12).

Somente cristãos maduros desfrutam o banquete da Palavra de Deus, e Ele tem muito a compartilhar com seus filhos e filhas maduros. Há sempre mais a aprender, assim não dê desculpas para os seus pontos fracos. Aceite a verdade que o colocará livre (veja João 8.32), e Deus lhe dará forças para vencer as áreas nas quais ainda é fraco.

17 DE AGOSTO

Fruto do Espírito

Se vivemos no Espírito [Santo], andemos também no Espírito [Se pelo Espírito Santo temos nossa vida em Deus, prossigamos caminhando em linha com isso, com nossa conduta controlada pelo Espírito.

GÁLATAS 5.25

As pessoas precisam de amor, alegria e paz. Elas tentam comprar essas coisas e consultam terapeutas para ajudá-las a encontrar isso. Todas essas qualidades estão disponíveis ao confiar em Jesus como seu Salvador, Aquele que enviou seu Espírito Santo para ajudá-las a caminhar em obediência a Deus. Viver uma vida cheia do Espírito finalmente produzirá essas coisas que as pessoas desejam tanto em sua vida.

Gálatas 5.22-23 diz: "Mas o fruto do Espírito [Santo] [a obra que sua presença dentro de nós realiza] é amor, alegria (satisfação), paz, paciência, (moderação, clemência), bondade, benignidade (benevolência), fidelidade, mansidão (gentileza, humildade), domínio próprio (autocontrole, contenção). Contra essas coisas não há lei [que possa trazer condenação]". Deixe o fruto da presença de Deus dentro de você resplandecer aos outros hoje.

Começando Bem Seu Dia　　125

18 DE AGOSTO

Seja Diligente

Desejamos [forte e intensamente], porém, que continue cada um de vós mostrando, até ao fim, a mesma diligência para a plena certeza da esperança;

HEBREUS 6.11

Provérbios 22:29 diz: "Vês a um homem perito (diligente) na sua obra? Perante reis será posto; não entre a plebe". Um homem diligente vive pelo princípio do *"Apenas faça-o"*! Ele é daqueles que faz, faz, faz e, então, faz um pouco mais, até que aquilo que pretendeu realizar seja concluído.

Não desista de nada que Deus lhe disse para crer, nunca desista de fazer aquilo que Ele claramente lhe mostrou para fazer. Sua diligência será recompensada com a bênção de Deus.

19 DE AGOSTO

Complete Sua obra

Disse-lhes Jesus: A minha comida (alimento) consiste em fazer a vontade (o prazer) daquele que me enviou e realizar a sua obra.

JOÃO 4.34

Creio que o Senhor quer que terminemos qualquer coisa que Ele nos chama para fazer, mesmo quando isso requer paciência, perseverança e trabalho árduo. Deus quer que criemos raízes e aprendamos a perseverar até que o fruto da sua promessa seja manifesto.

Deseje permanecer pacientemente até ver o plano de Deus se cumprir em sua vida. Se Deus lhe der uma visão de algo que Ele quer que você realize, mantenha-se fazendo o que Ele lhe mostrou, mesmo quando a empolgação para o trabalho se acabar e os arrepios se forem. Se você não teve uma visão, peça a Deus que lhe mostre algo que você precisa fazer e, então, permaneça fazendo esse trabalho até que seja finalizado.

20 DE AGOSTO

Livre-se da Confusão

Tu, Senhor, conservarás em perfeita paz aquele cujo propósito é firme; porque ele confia em ti.
ISAÍAS 26.3

Algumas vezes complicamos nossa vida por nos envolvermos com coisas que Deus não nos disse para fazer. Juntamos estresse, confusão e desordem pelas coisas desnecessárias com as quais nos envolvemos. Precisamos usar nossa fé para nos desfazer de tudo o que nos embaraça e tira nossa paz.

Peça a Deus que lhe mostre formas de simplificar sua vida. Faça um inventário hoje e comece a remover o que enche sua vida de distrações improdutivas. Deus quer que você desfrute seu dia, portanto, livre-se de tudo o que Ele mostrar ser desnecessário.

21 DE AGOSTO

Ame Seus Críticos

O caminho para a vida (não apenas sua vida, mas de outros) é de quem guarda o ensino.
PROVÉRBIOS 10.17

Ame seus críticos. Aprecie a correção das pessoas e, também, a correção de Deus. Provérbios 3.12 diz: "Pois aquele a quem o Senhor ama Ele corrige".

A autodisciplina é a marca da maturidade. Se você não tem controle de si mesmo em certa área, você é indisciplinado e não é maduro nessa área. Se você quer ser um cristão maduro, deve ser disciplinado.

Se você quer ser livre para desfrutar verdadeiramente sua vida, deve enfrentar a verdade. Você não pode ser livre se simplesmente der desculpas por qualquer área de fraqueza que Deus lhe mostrar. Todos têm fraquezas: agradeça a Deus se você descobrir alguma das suas fraquezas hoje e confie nele para fortalecê-lo nessa área.

Começando Bem Seu Dia

22 DE AGOSTO

Livre-se dos Obstáculos

Lançai fora o velho fermento, para que sejais nova massa, como sois,
de fato, sem fermento [em Cristo].

1 CORÍNTIOS 5.7

Se você está determinado a crescer no Senhor e alcançar a maturidade da fé, deve adotar o que diz Mateus 5.29-30. Trata-se de um versículo poderoso que basicamente diz: "Se seu olho o faz tropeçar, arranque-o; se sua mão o faz tropeçar, corte-a".

Em 1 Coríntios 9.24-27, Paulo diz: "Corro a carreira, *mas corro para vencê-la.* Portanto, esmurro meu corpo, subjugo-o e o trato severamente" (parafraseado).

Se você tem hábitos e obstáculos em sua vida que o prejudicam, livre-se deles. Faça-o agora! Não desperdice o dia de hoje com lamentações. Peça a Deus que lhe mostre qualquer área em sua vida que precisa de disciplina e, então, busque seu vasto suprimento de graça para fazer as mudanças necessárias.

23 DE AGOSTO

Controle Seu Humor

... para obter o ensino do bom proceder, a justiça, o juízo e a eqüidade (integridade).

PROVÉRBIOS 1.3

Mau humor pode trazer impulsos errados que não dominamos. Quando estamos mal-humorados queremos fazer coisas estranhas ou negligenciar nossa responsabilidade.

"Não estou querendo fazer nada hoje. Estou de mau humor; apenas me deixe sozinho."

Pessoas disciplinadas submetem suas emoções à sabedoria. Elas dizem: "Estes são meus sentimentos, mas não vivo pelos sentimentos. Estou de mau humor, mas isso não dita minhas ações. Vou fazer exatamente o que faria se me sentisse melhor". Você desfrutará mais o seu dia quando disciplinar-se a fazer o que crê em vez de fazer o que sente.

24 DE AGOSTO

Controle o que Você Fala

A língua serena [com seu poder curador] é árvore de vida, mas a perversa quebranta o espírito.
PROVÉRBIOS 15.4

A Bíblia diz que se uma pessoa puder controlar sua língua ela pode dominar toda a sua natureza: "Pois todos nós frequentemente tropeçamos e pecamos em várias coisas. Se alguém não peca no falar [nunca diz coisas erradas], tem um caráter plenamente desenvolvido e um homem perfeito, capaz de controlar todo seu corpo e dominar toda a sua natureza" (Tiago 3.2 – AMP).

Nenhum ser humano é completamente maduro no Senhor; assim, há sempre lugar para aperfeiçoamento. Se sua língua está fora de controle, outras áreas de sua vida também podem estar. Consagre sua língua a Deus hoje. Peça-lhe que dirija as palavras que você fala e permita que Ele encha sua boca com palavras de vida que encorajem as pessoas ao seu redor.

25 DE AGOSTO

Escolha a Excelência

Sou teu servo; dá-me entendimento (compreensão, entendimento), para que eu conheça (possa discernir e me familiarizar com o caráter dos) teus testemunhos.
SALMOS 119.125

A Palavra diz: "(Aprenda a discernir o que é vital)... para aprovardes as coisas excelentes (e de real valor) [reconhecendo o supremo e melhor, e distinguindo as diferenças morais], e... sendo imaculados, puros, corretos e inculpáveis para que com corações sinceros, íntegros e puros, possam ser aprovados no dia de Cristo [não tropeçando ou fazendo outros tropeçarem]" (Filipenses 1.10 – AMP).

Pessoas tomam decisões e fazem escolhas durante todo o dia. Uma pessoa verdadeiramente disciplinada tem a habilidade de subordinar escolhas inferiores a uma escolha mais superior e excelente. Pense sobre isso ao escolher a maneira que for viver hoje. Selecione aquilo que é mais excelente e subordine as opções inferiores a isso.

Começando Bem Seu Dia

26 DE AGOSTO

Você Está Seguro

Confia no Senhor de todo o teu coração (e mente) e não te estribes no teu próprio entendimento. Reconhece-o (percebe-o) em todos os teus caminhos, e ele endireitará (dirigirá, aplainará) as tuas veredas.

PROVÉRBIOS 3.5-6

Seguir a Deus não é um estilo de vida em tempo parcial. A Bíblia claramente ensina que devemos ser cautelosos, pois o diabo procura oportunidades para nos devorar (veja 1 Pedro 5.8).

Mas Deus nos dá graça para resistir ao diabo e ficar firme na fé contra ele. Você pode estar firmado, estabelecido fortemente, inabalável e determinado, sabendo que tudo o que enfrentar hoje é idêntico ao que cristãos do mundo inteiro enfrentam. E o próprio Deus o aperfeiçoará e fará que você seja o que deve ser. Ele o estabelecerá e firmará seguramente, fortalecendo e fundamentando-o hoje (veja versículos 9-10).

27 DE AGOSTO

Use o Autocontrole

Por isso mesmo, vós, reunindo toda a vossa diligência, associai com a vossa fé a virtude; com a virtude, o conhecimento; com o conhecimento, o domínio próprio; com o domínio próprio, a perseverança; com a perseverança, a piedade; com a piedade, a fraternidade; com a fraternidade, o amor. Porque estas coisas, existindo em vós e em vós aumentando, fazem com que não sejais nem inativos, nem infrutuosos no pleno conhecimento de nosso Senhor Jesus Cristo.

2 PEDRO 1.5-8

A Palavra diz que uma pessoa morrerá por falta de disciplina e instrução, e em sua tolice se desviará e se perderá (veja Provérbios 5.23). Você não pode comprar disciplina, mas tem habilidade interior para desenvolver o domínio próprio.

Ao passar tempo com Deus, você pode ser cheio de Seu Espírito e controlado pelo Seu poder para viver uma vida tranquila com uma mente equilibrada, tendo disciplina e autocontrole (veja 2 Timóteo 1.7). Conscientemente, adicione domínio próprio ao seu comportamento hoje.

28 DE AGOSTO

Dê a Deus o Controle

... e a perseverança (determinação), experiência (fé aprovada e integridade testada);
e a experiência, esperança.

ROMANOS 5.4

Você não desfrutará seu dia se tudo estiver fora de controle. Você pode dominar seu humor, seu temperamento, suas emoções, seu apetite, sua língua e seus pensamentos, mantendo-os em linha com a Palavra de Deus, se Lhe der o controle sobre todas as áreas que você quer conquistar pela fé. Deus nos criou com uma vontade livre, e podemos escolher aquilo que é melhor para nós.

Livre-se dos velhos hábitos destrutivos simplesmente formando novos hábitos. Não deixe suas emoções saírem do controle hoje. Se, por exemplo, sentir que está ficando irritado, ore rapidamente para que Deus o encha com o fruto do Espírito. Use o domínio próprio que Deus livremente torna disponível para você.

29 DE AGOSTO

Deseje a Deus de Todo Coração

Ora, tendo Cristo sofrido na carne, armai-vos também vós do mesmo pensamento [pacientemente sofrendo ao invés de cair, buscando agradar a Deus]; pois aquele que sofreu [tendo a mente de Cristo] na carne, deixou o pecado [parou de agradar a si mesmo e ao mundo, e busca agradar a Deus], para que, no tempo que vos resta na carne, já não vivais de acordo com as paixões dos homens, mas segundo a vontade de Deus.

1 PEDRO 4.1-2

Você tem desejos na carne, mas também tem desejos inspirados pelo Espírito Santo. Você tem a mente carnal, mas também tem "a mente de Cristo" e "os pensamentos (sentimentos e propósitos) de seu coração" (1 Coríntios 2.16).

Aprenda a discernir de onde vêm seus desejos. Desejos de sua carne não trazem paz, mas os desejos vindos do Espírito trazem recompensas abençoadas. Exercite o domínio próprio e escolha os desejos que são plantados em você pelo Espírito Santo.

Começando Bem Seu Dia

30 DE AGOSTO

Não Desperdice o Tempo

Portanto, vede prudentemente como andais, não como néscios, e sim como sábios (como pessoas sensíveis e inteligentes), remindo o tempo [aproveitando cada oportunidade]...

EFÉSIOS 5.15-16

Precisamos ter autocontrole para não desperdiçar nosso tempo. Isso não significa que nunca devemos nos divertir, nem significa que nunca devemos fazer as coisas de que gostamos. Não precisamos ser rígidos, tensos e desagradáveis, mas devemos usar nosso tempo sabiamente, escolhendo dedicar a melhor parte do nosso dia para passar tempo com Deus.

A Palavra nos encoraja a estarmos preparados: "Ouça o conselho, receba a instrução e aceite a correção, para que você possa ser sábio nos dias por vir" (Provérbios 19.20). Começar seu dia com a instrução de Deus o ajudará a caminhar em sabedoria e fé, aproveitando melhor seu tempo.

31 DE AGOSTO

Busque Soluções

... te propus a vida e a morte, a bênção e a maldição; escolhe, pois, a vida, para que vivas...

DEUTERONÔMIO 30.19

Algumas vezes nos queixamos de coisas que poderíamos mudar se simplesmente parássemos de lamentar por tempo suficiente para tomar alguma atitude a respeito do assunto. Por exemplo, se nos sentimos solitários, poderemos nos esforçar para sermos amigos de alguém. Podemos escolher ser livres ou permanecer na escravidão da autopiedade. Podemos escolher ser vítimas ou vitoriosos.

O Salmo 25.12-14 (AMP) diz: "Quem é o homem que reverentemente teme e adora ao Senhor? Ele aprenderá o caminho que deve escolher. Habitará em descanso, e sua descendência herdará a terra. O segredo da agradável e satisfatória companhia do Senhor têm aqueles que o temem, reverenciam e adoram; Ele lhes mostrará sua aliança e lhes revelará seus segredos [profundos, íntimos]".

1° DE SETEMBRO

Virtudes Admiráveis

Mas digo, porém: andai [habitualmente] no Espírito [Santo] [responsivos, controlados e guiados pelo Espírito], e jamais satisfareis à concupiscência da carne (da natureza humana sem Deus).

GÁLATAS 5.16

"O fruto do Espírito Santo, as obras que a sua presença realiza é amor, alegria (satisfação), paz, paciência (moderação, equilíbrio) bondade, debilidade (benevolência), fidelidade, gentileza (mansidão, humildade), domínio próprio (autocontrole, continência)" (Gálatas 5.22-23).

As pessoas no mundo inteiro tentam adquirir essas virtudes por meio de livros de aconselhamento ou de auto-ajuda. Contudo, a Bíblia diz que, se caminharmos com Deus, a vida cheia do Espírito produzirá todas essas coisas dentro de nós. Entregue sua vida a Deus todo dia, e Ele criará um coração certo em você, um coração que desejará fazer as coisas que Ele planejou para sua vida.

2 DE SETEMBRO

Semeando e Colhendo

Por isso, enquanto tivermos oportunidade, façamos o bem a todos [não somente sendo úteis e benéficos a ela, mas também fazendo o que é bom para a sua edificação e proveito espiritual], mas principalmente aos da família da fé [aqueles que pertencem à família de Deus como vocês, os crentes].

GÁLATAS 6.10

"Pois aquele que semeia para sua própria carne (a natureza caída, a sensualidade) da carne colherá a decadência, a ruína e destruição, mas aquele que semeia para o Espírito colherá do Espírito a vida eterna" (Gálatas 6.8).

Podemos desfrutar nossa vida (e evitar problemas) se seguirmos a direção do Espírito Santo. A Palavra nos diz para não cansarmos de fazer o bem, pois a promessa de Deus é que aquilo que semeamos hoje colheremos algum dia no futuro (versículo 9). Seja corajoso, aja com nobreza e continue a fazer aquilo que sabe que é certo.

Começando Bem Seu Dia

3 DE SETEMBRO

Uma Nova Direção

Tens ouvido, Senhor, o desejo dos humildes (e dos oprimidos); tu lhes fortalecerás
o coração e lhes acudirás.

SALMOS 10.17

Algumas vezes enfrentamos uma situação desagradável em nossa vida. Se observarmos, possivelmente descobriremos que as coisas que nos tornam infelizes hoje são frutos das escolhas que fizemos anteriormente.

Hoje pode ser um novo começo. Penso que Deus nos deu um dia de 24 horas porque sabia que isso era tudo que podíamos administrar. Suas misericórdias são novas cada manhã (veja Lamentações 3.22-23). Você pode começar novamente esta manhã a viver para o Senhor. Determine-se a seguir a direção de Deus e fazer o que Ele disser. Você pode esperar "amanhãs melhores" se viver da forma certa hoje.

4 DE SETEMBRO

Caminhe em Integridade

Retribuiu-me o Senhor, segundo a minha justiça (minha integridade e sinceridade conscientes
diante dele), recompensou-me conforme a pureza das minhas mãos.

SALMOS 18.20

Falar sobre a Palavra não é suficiente; precisamos praticar aquilo que dizemos crer. Deus nos abençoará se formos pessoas íntegras. Como cristãos, precisamos manter nossas promessas de fazer o que dissemos que faríamos.

Procure formas de demonstrar sua integridade hoje. Se você não pode prosseguir com algo com o qual se comprometeu, ao menos telefone ou escreva uma carta dizendo: "Por favor, perdoe-me; eu não estava sendo dirigido por Deus e não posso continuar a fazer aquilo que disse". Dessa forma, você ainda honrará a Deus e manterá seus passos na direção certa.

5 DE SETEMBRO

Evite as Contendas

O cobiçoso levanta contendas, mas o que confia no Senhor prosperará.
PROVÉRBIOS 28.25

Provavelmente, em 80% dos lugares que visitamos com nosso ministério há membros de igreja que estão envolvidos com contendas. A contenda é a ferramenta do diabo contra nós. Exige autocontrole pessoal permanecer fora de contendas.

Se você quer manter a paz, não poderá sempre dizer tudo que tem vontade de dizer. Algumas vezes você terá de controlar-se e desculpar-se mesmo quando não tiver vontade alguma de fazê-lo. Mas, se você semear o divino princípio da harmonia e unidade hoje, chegará um tempo em que colherá as bênçãos decorrentes disso.

6 DE SETEMBRO

Mantenha Suas Promessas

Aquele que, a seus olhos, tem por desprezível ao réprobo, mas honra aos que temem ao Senhor (que o reverenciam e adoram); o que jura com dano próprio e não se retrata; o que não empresta o seu dinheiro com usura [para seu próprio povo], nem aceita suborno contra o inocente. Quem deste modo procede não será jamais abalado.
SALMOS 15.4-5

Há momentos em que assumo um compromisso para fazer algo e mais tarde lamento a decisão. Então, tento imaginar alguma forma de sair dessa situação. Argumento com Deus: "Certamente o Senhor não quer eu faça isso e perca esta outra grande oportunidade".

A única coisa que o Senhor me diz numa situação assim é: "Você deu sua palavra, Joyce, portanto, seja uma mulher de integridade, e Eu a abençoarei". Se formos pessoas íntegras, Deus trará outras boas oportunidades até mesmo com mais bênçãos.

Começando Bem Seu Dia

7 DE SETEMBRO

Peça Ajuda

Confessai, pois, os vossos pecados (seus deslizes, tropeços, ofensas e falhas) uns aos outros e orai [também] uns pelos outros, para serdes curados [restaurados a uma harmonia espiritual de mente e coração]. Muito pode, por sua eficácia [é dinâmica em seu poder], a súplica (sincera, contínua) do justo.

TIAGO 5.16

Vícios, hábitos e atitudes negativas podem destruí-lo. Se você precisa de libertação de um comportamento errado, a Bíblia ensina que o Espírito Santo é o seu ajudador (veja João 14.16). Confesse sua necessidade a Deus e peça-Lhe que o liberte.

Ele pode levá-lo a confessar suas falhas a outros crentes em quem você pode confiar e pedir oração. A Palavra diz que devemos confessar nossas falhas uns aos outros *para que sejamos curados e restaurados*. Se você está fora de controle em alguma área, seja honesto sobre isso. Hoje pode ser seu dia de libertação.

8 DE SETEMBRO

Elimine as Desculpas

Porquanto o Senhor, teu Deus, anda no meio do teu acampamento para te livrar e para entregar-te os teus inimigos; portanto, o teu acampamento será santo, para que ele não veja em ti coisa indecente e se aparte de ti.

DEUTERONÔMIO 23.14

Se um hábito está controlando sua vida, você não está desfrutando o melhor que Deus tem para lhe oferecer. Não dê desculpas pela escravidão que parece estar prendendo-o. Negação e desculpas o impedirão de desfrutar a vida.

Seja um distúrbio alimentar ou um mau temperamento, você não pode culpar seus genes ou sua família por isso. Deus tem um caminho de escape para nós e promete uma vida abençoada para aqueles que nascem novamente. Reivindique seus direitos como filho de Deus. Diga: "Sou uma nova criatura em Cristo, posso todas as coisas por intermédio de Cristo, que me fortalece" (Filipenses 4.13).

9 DE SETEMBRO

Deus o Transformará

Muitos propósitos há no coração do homem, mas o desígnio do Senhor permanecerá.

PROVÉRBIOS 19.21

Embora você possa ainda ter velhos hábitos, há a esperança de mudança, mas você não poderá mudar a si mesmo. Deus o transformará se você buscá-lo de todo coração.

Não esteja ansioso para que Deus termine a obra em sua vida. Nós queremos que tudo seja feito instantaneamente, mas Deus não está interessado em nossa agenda. O inimigo pode frustrar seus planos humanos, mas os planos de Deus não podem ser frustrados, e Ele tem um plano exclusivo para você.

Busque o plano de Deus para sua vida. Permaneça fervoroso, intenso, zeloso. Busque o propósito de Deus com cada grama de energia que você tiver. Não há nada neste mundo que seja tão digno de ser alcançado.

10 DE SETEMBRO

Busque a Deus de Todo Coração

Buscai o Senhor e o seu poder (seu poder e inflexibilidade diante da tentação); buscai perpetuamente a sua presença.

SALMOS 65.4

Se você tem uma necessidade hoje, busque a Deus de todo coração. A Bíblia diz para "almejar e buscar aquilo [os tesouros ricos e eternos] que estão no alto" (Colossenses 3.1 – AMP). Se você buscar o fruto do Espírito Santo de todo coração, Deus fará uma obra em sua vida para que você possa desfrutar a vida abundante pela qual Jesus morreu para lhe dar.

Deus promete: "O Senhor te porá por cabeça e não por cauda; e só estarás em cima e não debaixo, se obedeceres aos mandamentos do Senhor, teu Deus, que hoje te ordeno, para os guardar e cumprir." (Deuteronômio 28.13).

Começando Bem Seu Dia

11 DE SETEMBRO

Seja Positivo

Sempre dou graças a meu Deus a vosso respeito, a propósito da sua graça (favor e bênção espiritual de Deus), que vos foi dada em Cristo Jesus; porque, em tudo, fostes enriquecidos nele, em toda a palavra [para proclamar vossa fé] e em todo o conhecimento [para conceder-lhes o pleno discernimento do propósito deste conhecimento].

1 CORÍNTIOS 1-4.5

A Palavra de Deus diz: "Apartem-se do mal e façam o bem, busquem, perguntem, procurem, anseiem pela paz e persigam-na" (Salmos 34.14 - AMP). "Façam todas as coisas sem murmuração, crítica, reclamação [contra Deus], questionamento e dúvidas entre si" (Filipenses 2.14). Seja positivo. Evite fofocas e murmurações. Comece seu dia lendo a Bíblia para que você saiba como falar, baseado na autoridade da Palavra de Deus. Passe tempo ouvindo a Deus e, então, fale aos outros o que você o ouviu dizer. Leve palavras de vida a qualquer situação que você enfrentar.

12 DE SETEMBRO

Controle Seu Temperamento

O longânimo é grande em entendimento, mas o de ânimo precipitado exalta a loucura.

PROVÉRBIOS 14.29

É desagradável às pessoas permanecerem ao nosso lado se facilmente nos iramos. Precisamos aprender como *agir* na vida em vez de *reagir* a ela, para que possamos desfrutar o poder de Deus em nossa vida. Deus diz que uma pessoa que pode controlar a sua ira é melhor e mais poderosa do que um indivíduo que domina uma cidade inteira (veja Provérbios 16.32).

A Palavra de Deus diz: "Compreendam isso, meus amados irmãos. Cada homem seja rápido para ouvir [um ouvinte disposto], lento para falar, e para se ofender e se irar. Pois a ira do homem não promove a justiça de Deus [seus desejos e exigências]" (Tiago 1.19-20 - AMP). Seja pronto para ouvir e desfrute a libertação da ira que Deus lhe oferece.

13 DE SETEMBRO

Seja Lento para Falar

Pois quem quer amar a vida e ver dias felizes refreie a língua do mal e evite que os seus lábios falem dolosamente [enganosamente, traiçoeiramente].

1 PEDRO 3.10

Você já lamentou por algo que disse assim que as palavras saíram de sua boca? Você não pode trazer tais palavras de volta, e palavras podem arruinar relacionamentos. A Bíblia diz que você pode controlar o seu corpo se controlar sua língua (Tiago 3.2).

Antes que você responda às pessoas rapidamente, pare e ouça o que o Espírito tem a dizer sobre sua situação. Tiago ensinou: "Cada homem seja rápido para ouvir [um ouvinte disposto], lento para falar, para se ofender e se irar" (Tiago 1.19 – AMP). Consagre sua língua ao serviço de Deus hoje e use as palavras para falar de cura aos outros.

14 DE SETEMBRO

O Amor Não se Irrita

O amor (o amor de Deus em nós)...não se conduz inconvenientemente, não procura os seus interesses, não se exaspera, não se ressente do mal [não presta atenção em algum dano que sofreu].

1 CORÍNTIOS 13.5

A Bíblia diz que o amor de Deus em nós não é melindroso. Se somos muito sensíveis, precisamos passar mais tempo na presença de Deus antes de enfrentarmos o dia. Nossas lágrimas podem provocar simpatia, mas é melhor ser doador do que recebedor o tempo todo.

Começar seu dia com Deus o manterá mais "moderado" e cheio de confiança. À medida que você desfrutar a gentileza e a bondade de Deus, será edificado em seu espírito e será mais capacitado a superar as ofensas dos outros. Peça a Deus que lhe dê um coração fortalecido, pronto para amar as pessoas assim como Ele ama neste dia.

Começando Bem Seu Dia

15 DE SETEMBRO

Obtenha Equilíbrio

...tudo sofre, tudo crê, tudo espera, tudo suporta (O amor suporta tudo o que vem, está sempre pronto a crer no melhor sobre cada pessoa, sua esperança permanece inabalável sob todas as circunstâncias, e suporta tudo [sem enfraquecer].

1 CORÍNTIOS 13.7

Ocasionalmente todos nós podemos estar mais sensíveis ou nos descontrolar de vez em quando. Mas, se você está fora de equilíbrio em qualquer uma dessas áreas, é importante recuperar o controle, se quiser ter um bom dia.

Se seus sentimentos foram machucados porque alguém o tratou mal ou se os seus amigos ou sua família se esqueceram de seu aniversário, você precisa passar mais tempo com Deus. Ele o encherá com tanto amor e tal senso de valorização que você não se sentirá mal-humorado ou irritado diante de ninguém. Busque a Deus de todo seu coração hoje. Fale com Ele sobre seus problemas e, então, desfrute a si mesmo, reconhecendo que Ele cuida de você.

16 DE SETEMBRO

Não Procrastine

Mas o fruto do Espírito [Santo] é [as obras que a sua presença realiza em nós]: amor, alegria (satisfação), paz, longanimidade (moderação, equilíbrio), benignidade (benevolência), bondade, fidelidade, mansidão (humildade), domínio próprio (autocontrole, continência). Contra essas coisas não há lei [que possa trazer condenação].

GALATAS 5.22-23

A Bíblia diz que devemos ser "praticantes da Palavra [obedecer à mensagem], e não meramente ouvintes" (Tiago 1.22). Em outras palavras, precisamos aplicar seu ensino em nossa vida diária.

A procrastinação é uma das maiores barreiras para colocar a Palavra de Deus em ação em nossa vida. É necessário domínio próprio para *fazer* algo, e é necessário domínio próprio para *não fazer*. O domínio próprio é fruto do Espírito que brota em nossa vida ao passarmos tempo com Deus. Peça ao Senhor que o encha com o poder do domínio próprio para que você possa vencer a procrastinação e ser um praticante da Palavra.

17 DE SETEMBRO

Quebrando Fortalezas

Porque as armas da nossa milícia não são carnais [armas de carne e sangue], e sim poderosas em Deus, para destruir fortalezas, ... e levando cativo todo pensamento (e propósito) à obediência de Cristo (o Messias, o ungido).

1 CORÍNTIOS 10.4-5

A Bíblia ensina que Satanás tenta edificar fortalezas em nossa vida. Uma forma de identificar as fortalezas é observar situações repetitivas que o abatem espiritualmente.

Todos nós sabemos, interiormente, quando algo não está certo em nossa vida ou está fora de controle. Se isso está acontecendo, busque logo a Deus para saber o motivo. Se um comportamento negativo se torna repetitivo, é sinal de que Satanás está edificando uma fortaleza dentro de você. Deus destruirá as fortalezas do diabo em sua vida, se você buscá-lo.

18 DE SETEMBRO

Conheça a Verdade

...e conhecereis a verdade, e a verdade vos libertará.

JOÃO 8.32

Se você perde seu controle facilmente, nunca desfrutará seu dia como Deus pretendeu. Busque a Deus de todo o seu coração e descubra o que está errado. A forma de se libertar das coisas que o descontrolam é descobrir a verdade; a verdade sempre o libertará.

Nem sempre queremos enfrentar a verdade porque pode ser doloroso. Algumas vezes ela nos mostra que precisamos mudar. Se nos comportamos de forma errada, precisamos pedir desculpas, mas as desculpas não nos tornam livres. Deixe Deus fazer parte de seu dia quando sentir que suas emoções estão se descontrolando, e peça-Lhe que lhe revele a verdade dessa situação. A verdade sempre o libertará para que desfrute o resto do seu dia.

Começando Bem Seu Dia

19 DE SETEMBRO

Seja Livre

Em meio à tribulação, invoquei o Senhor, e o Senhor me ouviu e me deu folga.

SALMOS 118.5

Se você percebe que sempre chega atrasado onde quer que vá (mesmo que seja 50% das vezes), essa é uma evidência de que há uma fortaleza construída por Satanás em sua vida. Livre-se dela, ou o diabo usará isso para mantê-lo sob pressão. Você pode ter uma desculpa para cada uma das vezes em que se atrasar, mas algo está errado se esse padrão de comportamento é repetitivo.

Peça a Deus que mostre como você pode se libertar da pressão de sempre correr e chegar atrasado. Começar seu dia com Deus o ajudará a estabelecer prioridades. Vá à raiz do problema e desfrute o fruto da presença de Deus para ajudá-lo a estar onde você precisa estar, na hora certa e sem correria.

20 DE SETEMBRO

Corra a Carreira

... prossigo para o alvo, para o prêmio [supremo e celestial] da soberana vocação de Deus em Cristo Jesus.

FILIPENSES 3.14

Vivemos numa sociedade acostumada a fazer tudo para sentir-se bem *imediatamente*. Mas a gratificação instantânea nunca traz satisfação duradoura.

Se você agir com domínio próprio por intermédio do poder do Espírito Santo que habita em sua vida, escolherá fazer coisas que contribuem para o alvo que você tem em mente. Você deve disciplinar-se agora para colher a recompensa de alcançar o seu alvo mais tarde.

Paulo ensinou: "Vocês não sabem que numa corrida todos competem, mas somente um recebe o prêmio? Assim, corra para que você possa alcançar o prêmio e torná-lo seu (1 Coríntios 9.24 – AMP). Permaneça focado no alvo. Deus lhe dará graça para continuar prosseguindo rumo à vitória.

21 DE SETEMBRO

Acalme-se

Porque Deus não nos tem dado espírito de covardia (de intimidação, de amedrontamento e de medo servil), mas [Ele tem nos dado um espírito] de poder, de amor e... (de uma mente calma e equilibrada, e de disciplina e autocontrole).

2 TIMÓTEO 1.7

"Cada atleta que está em treinamento conduz-se de forma equilibrada e restringe-se em *todas* as coisas" (1 Coríntios 9.25 – AMP, grifo da autora). Essa palavra *todas* é um conceito difícil para compreendermos.

Precisamos ter uma vida disciplinada nas áreas física, espiritual e emocional se quisermos desfrutar o plano de Deus. O fruto do Espírito é o domínio próprio, e o fruto da carne é o descontrole.

Paulo disse: "Eu esmurro meu corpo [tratando-o severamente, disciplinando-o duramente) e o subjugo por medo de que, após proclamar aos outros o evangelho e as coisas relativas a ele, eu mesmo me torne desqualificado [não a suportando a prova, reprovado e rejeitado como um impostor]" (1 Coríntios 9.27 – AMP).

22 DE SETEMBRO

Seja Praticante da Palavra

Gloriar-se-á no Senhor a minha alma.

SALMOS 34.2

Descobri três princípios transformadores quando seguidos fielmente a cada dia:

1. Eliminar desculpas e evitar a procrastinação. Seja um praticante da Palavra ao colocar sua fé em ação. A fé sem ação é morta (veja Tiago 2.20).

2. Enfrente a verdade, não importa quanto ela seja dolorosa. A verdade é a única coisa que o fará livre (veja João 8.32). A Palavra de Deus é a verdade. Comece seu dia com a Palavra.

3. Pare de sentir-se infeliz consigo mesmo. Compreenda quem você é em Jesus Cristo. Você é mais do que capaz nele (veja Filipenses 4.13).

Começando Bem Seu Dia

23 DE SETEMBRO

Desfrute o Poder de Amar os Outros

Falai de tal maneira e de tal maneira procedei como aqueles que hão de ser julgados pela lei da liberdade [a instrução moral dada por Cristo, especialmente sobre o amor].

TIAGO 2.12

Pode ser difícil compreender a ideia da lei da liberdade, porque lei e liberdade parecem ser opostas. A lei diz algo, enquanto a liberdade parece dizer o contrário. Mas creio que a lei da liberdade mencionada em Tiago 1.25 se refere à liberdade vivida com domínio próprio, porque Deus colocou um novo coração em nós que deseja obedecer à lei do amor.

Com esse novo coração que Jesus lhe deu, você tem a habilidade de ser dirigido pelo Espírito, e Ele lhe dá o poder e liberdade para amar os outros. Desfrute seu dia permitindo que o Senhor ame as pessoas por intermédio da sua vida.

24 DE SETEMBRO

Seja Responsável

Vós, porém, não estais na carne, mas no Espírito, se, de fato, o Espírito [Santo] de Deus habita em vós. E, se alguém não tem o Espírito de Cristo, esse tal não é dele [não pertence a Cristo e não é realmente um filho de Deus].

ROMANOS 8.9

Romanos 8.8 declara: "Aqueles que vivem a vida da carne [nutrindo os apetites e impulsos de sua natureza carnal] não podem agradar ou satisfazer a Deus ou ser aceitável a Ele".

Deus quer que desfrutemos uma vida abençoada. Aqui Ele está nos dizendo: "Se vocês caminharem no Espírito, colherão as bênçãos de uma vida controlada pelo Espírito tanto agora como por toda a eternidade".

Seja responsável por suas escolhas hoje. Você não pode viver pela carne e esperar que, mesmo assim, tudo funcione bem. Escolha ser obediente à direção do Espírito Santo.

25 DE SETEMBRO

Semeie o que Você quer Colher

Então, eu disse: semeai para vós outros em justiça (retidão e posição correta com Deus), ceifai segundo a misericórdia; arai o campo de pousio (não cultivado; porque é tempo de buscar ao Senhor, até que ele venha, e chova a justiça sobre vós.

OSÉIAS 10.12

Nunca há uma colheita sem tempo de semeadura (veja Eclesiastes 3.1-2). Deus pode fazer tudo que quiser, mas Ele estabeleceu um princípio vital que funciona para todos: "Primeiro, você semeia, e então colherá". Isso sempre acontece nesta ordem.

Aqueles que semeiam problemas e confusão colherão o mesmo. Aqueles que semeiam justiça colherão misericórdia. Se Deus lhe pedir para fazer algo e você semear a obediência, uma vez que foi aprovado, terá uma boa colheita. Lembre-se da sequência: o que você semear *hoje* colherá *amanhã*.

26 DE SETEMBRO

Semeie Generosamente

E isto afirmo: aquele que semeia pouco (escassa e relutantemente) também (assim) ceifará; e o que semeia com fartura [de maneira a abençoar alguém], com abundância também ceifará.

2 CORÍNTIOS 9.6

Não semeamos agora e colhemos cinco minutos depois. Precisamos perseverar pacientemente para colher as bênçãos da justiça. Dez ou quinze anos podem passar antes que uma colheita venha, mas a Palavra de Deus ainda é a verdade.

Deseje vencer o teste do tempo para desfrutar a colheita prometida por Deus. A Palavra diz: "Pela manhã semeie sua semente, e a noite não retenha suas mãos, pois você não sabe qual delas prosperará, se esta ou aquela, ou se ambas igualmente serão boas" (Eclesiastes 11.6). Semeie boas sementes generosamente hoje.

Começando Bem Seu Dia

27 DE SETEMBRO

Colha uma Vida Abençoada

Estas coisas vos tenho dito para que tenhais paz em mim. No mundo, passais por aflições; mas tende bom ânimo [tenham coragem, sejam confiantes, determinados, intrépidos]; eu venci o mundo [tenho destituído o mundo do poder de prejudicá-los e o venci por vocês].

JOÃO 16.33

Deus me mostrou que minha vida estava uma confusão por causa das decisões que tomei. Ele disse: "Joyce, você pode mudar: comece a semear boas sementes e, em algum momento de sua vida, você colherá".

Se tribulações têm vindo contra sua vida, não fique pensando em que tipo de semente você semeou para resultar nisso. Tribulações virão, mas, se você obedecer à Palavra de Deus o suficiente (não apenas por cinco minutos nas aflições), cedo ou tarde, alcançará a boa vida que Deus planejou para você.

28 DE SETEMBRO

Plante com um Propósito

Não vos enganeis: de Deus não se zomba (Ele não se deixa desdenhar, ou se enganar por meras pretensões ou confissões, ou caso seus preceitos sejam colocados de lado); pois aquilo que o homem semear, isso também ceifará [Inevitavelmente engana-se quem tenta enganar a Deus; pois o que o homem semeia, isso e somente isso é o que ele colherá].

GÁLATAS 6.7

Escolha cuidadosamente o que você semeia por intermédio de suas palavras e ações e plante somente o que quer colher: "Pois aquele que semeia para sua própria carne (natureza decaída, sensualidade) da carne colherá a decadência, ruína e destruição, mas aquele que semeia no Espírito colherá do Espírito a vida eterna" (Gálatas 6.8 – AMP).

Tudo o que fizer durante todo o dia é uma oportunidade para semear sementes boas ou ruins, que podem mudar drasticamente sua vida. Comece logo cedo a semear somente o que deseja colher de volta.

29 DE SETEMBRO

Dependa de Deus

Estou plenamente certo de que aquele que começou boa obra em vós há de completá-la até ao Dia de Cristo Jesus (até o momento de seu retorno].

FILIPENSES 2.6

Seja o que for que você possa estar enfrentando hoje, o Espírito Santo o ajudará a viver uma vida com domínio próprio, porque a Bíblia diz que o domínio próprio é fruto da presença do Espírito Santo que habita em você (veja Gálatas 5.22-23).

Permita que o Espírito Santo o ajude a admitir quando você tem um problema que precisa da sua ajuda para vencer e, então, peça a Deus pela ajuda do Espírito.

Jesus disse: "Eis que lhes dei autoridade (poder, força e habilidade física e mental) sobre todo o poder do inimigo" (Lucas 10.19).

30 DE SETEMBRO

O Jeito de Deus Funciona

Bem-aventurado (feliz, afortunado e admirável) aquele que teme (reverencia e adora) ao Senhor e anda nos seus caminhos!

SALMOS 128.1

A Bíblia diz: "Não vos enganeis: de Deus não se zomba (*Ele não se deixa desdenhar, ou se enganar...*), pois aquilo que o homem semear isso também ceifará" (Gálatas 6.7). A Palavra de Deus é verdadeira, e de Deus não se zomba.

Se parece que o inimigo tem edificado obstáculos para impedi-lo de alcançar seu propósito, apenas mantenha-se fazendo o que é certo. Falando do Senhor, o salmista disse: "Arrasaste os seus muros e fortificações; reduziste a ruínas as suas fortalezas" (Salmos 89.40). Deus está no controle; se você fizer o que é certo hoje, sua vida será abençoada.

Começando Bem Seu Dia

1º DE OUTUBRO

Mantenha-se Prosseguindo

... a vida eterna aos que, perseverando (pacientemente) em fazer o bem [que brota da piedade], procuram [a invisível, porém real] glória, honra e [eterna bem-aventurança da] incorruptibilidade; Ele dará a vida eterna.

ROMANOS 2.7

Em Provérbios 8:34, Salomão, escrevendo a respeito da sabedoria, diz: "Bem aventurado (feliz, afortunado, admirável) é o homem que me dá ouvidos, velando *diariamente* às minhas portas, esperando nos umbrais da minha entrada". Muitas pessoas parecem pular de uma coisa para outra, quando o que precisam é de sabedoria e consistência.

É importante manter-se prosseguindo, fazendo o que sabe que é certo, mesmo se for o único a fazê-lo. Deus está do seu lado (veja Romanos 8.31), e Ele já escreveu o fim do livro. Aqueles que Lhe obedecerem vencerão!

2 DE OUTUBRO

A Obediência Traz Sucesso

Toda a Escritura é inspirada por Deus (dada pela sua inspiração) e útil para o ensino, para a repreensão, para a correção, para a educação na justiça (para um viver santo, em conformidade com a vontade de Deus em pensamento, propósito e ação).

2 TIMÓTEO 3.16

A Bíblia diz que colhemos o que semeamos. A linha divisória entre o sucesso e o fracasso é fazer o que Deus nos diz para fazer. Oramos por frutos em nossa vida, mas nem sempre queremos orar pelas raízes.

Se quisermos que nossos dias sejam bons, precisamos fazer o que Deus nos diz. Se não queremos caminhar em obediência, não podemos reclamar se nos envolvermos numa confusão. Se nos sentimos solitários e Deus nos diz para nos aproximar de alguém, mas decidimos que isso é muito complicado, então permaneceremos sozinhos.

3 DE OUTUBRO

Jesus É Nosso Padrão

Até que todos cheguemos à unidade da fé e do pleno conhecimento do Filho de Deus, à perfeita varonilidade (a plenitude da personalidade a qual não é nada menos do que o alto padrão da própria perfeição de Cristo) à medida da estatura da plenitude de Cristo.

EFÉSIOS 4.12-13

 Certa vez, comecei a me comparar com a forma como costumava agir anteriormente e pensei: *Não estou indo tão mal.*

Então Deus me disse: "Mas qual é seu padrão? Como você está quando comparada comigo"?

Respondi: "Bem, Senhor, tenho um longo caminho a percorrer"!

Recuse-se a viver abaixo do padrão que Jesus estabeleceu para sua vida. Mantenha seus olhos nele e diga-lhe: "Muitas são as maravilhosas obras que tens feito... ninguém se compara a Ti" (Salmos 40.5).

4 DE OUTUBRO

Receba Sua Graça

Pois somos feitura dele, criados em Cristo Jesus para boas obras, as quais Deus de antemão (planejou) preparou para que andássemos nelas [para seguirmos os passos que Ele planejou anteriormente].

EFÉSIOS 2.10

A Bíblia não diz que você tem de ter domínio próprio para ir para o céu. Você é livre para se descontrolar se quiser; isso é problema seu. Para ser salvo, a Bíblia diz que você tem de crer em Jesus como seu Senhor e Salvador (veja Romanos 10.9-10).

Mas, se você quiser viver a boa vida que Deus planejou e preparou antes da fundação do mundo, precisará disciplinar-se para fazer apenas o que a Palavra diz e o que o Espírito Santo fala ao seu coração. Deus lhe oferece a graça para viver uma vida santa que colherá muitas bênçãos nos dias vindouros.

Começando Bem Seu Dia

5 DE OUTUBRO

Desfrute a Boa Vida

Mais alegria me puseste no coração do que a alegria deles, quando lhes há fartura de cereal e de vinho. Em paz me deito e logo pego no sono, porque, Senhor, só tu me fazes repousar seguro.

SALMOS 4.7-8

Deus preordenou e preparou uma boa vida para você, mas essa boa vida é uma escolha. Você tem de decidir seguir a direção de Deus para caminhar nela.

A Bíblia contém princípios para essa boa vida. Não se trata de um livro de leis; ele fala da libertação e da liberdade para viver a vida que colherá bons resultados. É um livro de sabedoria que o levará à paz e à alegria. Se você fizer o que a Palavra diz, as bênçãos o perseguirão e o encontrarão onde você estiver (veja Deuteronômio 28.1-2).

6 DE OUTUBRO

A Graça de Deus

Para isto mesmo te levantei, para mostrar em ti o meu poder e para que o meu nome seja anunciado por toda a terra.

ROMANOS 9.17

Se você deseja ter vitória sobre algo, prepare-se para trabalhar nisso. Mas não se trata de depender de si mesmo ou vencer na vida por sua própria determinação. Deus nos dá graça para fazer boas obras. Mas a graça não significa que nossa carne tem toda a liberdade enquanto apenas deitamos e vamos dormir.

Você tem de fazer boas obras, ser um servo da justiça. Você foi feito para ter responsabilidade, e Deus o ajudará a realizar todas as coisas que lhe der para fazer. Ele o liberta da escravidão do pecado para que você possa se conformar à sua vontade divina em pensamento, propósito e ação (veja Romanos 6.18). A vitória é obtida por meio da graça de Deus, mas você tem de escolher confiar nele em cada passo do caminho.

7 DE OUTUBRO

Escolha a Liberdade

Tais fostes alguns de vós; mas vós vos lavastes (fostes purificados através de uma plena expiação do pecado e libertos da culpa do pecado), mas fostes santificados (separados, consagrados), mas fostes justificados [declarados justos por confiar] em o nome do Senhor Jesus Cristo e no Espírito do nosso Deus.

1 CORÍNTIOS 6.11

Como cristão, você é livre para fazer o que quiser: "Todas as coisas são legítimas (permissíveis, e somos livres para fazer tudo o que nos agrada), mas nem todas as coisas são proveitosas (convenientes, úteis e íntegras) (1 Coríntios 10.23 – AMP).

Deus lhe confia a liberdade porque também lhe deu um novo coração cheio do desejo de agradar-Lhe. Você não tem de lutar contra a imoralidade e o pecado quando permite que Deus o encha com Seu Espírito Santo todo dia. Como nascido de novo e um cristão cheio de Espírito, você tem recebido a liberdade para levar uma vida abençoada. Escolha hoje o que é conveniente, edificante e construtivo.

8 DE OUTUBRO

Aceite o Convite de Deus

Eu [o Senhor] instruir-te-ei e te ensinarei o caminho que deves seguir; e, sob as minhas vistas, te darei conselho.

SALMOS 32.8

O diabo quer nos conservar como cristãos sujeitos ao legalismo. Se ele não puder nos condenar pelo que *fazemos*, tentará nos atormentar pelo que *não fazemos*. Ele quer que nos sintamos culpados quando não lemos a Bíblia e oramos, sugerindo que Deus não se agradou de nós e que deve estar furioso conosco pelo que *não fizemos*.

Deus nunca nos condena por não sermos disciplinados, mas amorosamente nos convida a passar tempo na presença dele. O céu está disponível a nós simplesmente por confiarmos em Jesus, mas a vida abençoada é desfrutada quando agimos da forma que Jesus age. Deveríamos querer ler a Palavra porque ela tem a chave para conhecermos a Deus intimamente e desfrutá-lo plenamente.

Começando Bem Seu Dia

9 DE OUTUBRO

Abençoe a Si Mesmo

Eu amo os que me amam; os que me procuram me acham.

PROVÉRBIOS 8.17

Nossas motivações estão erradas se pensamos que lemos a Bíblia e oramos para agradar a Deus ou impedi-lo de ficar furioso conosco. Deus, certa vez, me disse: "Você pensa que quando lê a Bíblia está Me fazendo mais feliz. Serei feliz se você ler ou não ler. Não, Joyce, se *você* ler a Bíblia, *você será mais* feliz. Se *você* orar, *você* será feliz. Se *você* der, *você* receberá".

Cada coisa simples que Deus nos diz para fazer é para que *nós* sejamos abençoados. Ele não nos pede que nos devotemos, estudemos e oremos por causa dele, mas por *nossa causa*. A vida abençoada é escolha nossa.

10 DE OUTUBRO

É Uma Promessa

Venham também sobre mim as tuas misericórdias, Senhor, e a tua salvação, segundo a tua promessa.

SALMOS 119.41

Alguns cristãos querem fazer uma lei sobre o fato de estudar a Bíblia ou passar certo tempo com Deus. Mas devemos ser motivados a ler a Palavra e passar tempo com Deus por causa do nosso amoroso relacionamento com Ele, e não pela obrigação de fazê-lo.

Jesus disse: "Se vocês [realmente] me amam, guardarão (obedecerão) meus mandamentos" (João 14.15– AMP). O que Ele realmente quis dizer é: "Se vocês me amam e andam num relacionamento comigo, consequentemente, *conseguirão guardar* meus mandamentos". Se você concentrar-se em amar a Deus, então guardar seus mandamentos se tornará uma parte natural do que faz. É uma promessa que Ele lhe dá.

11 DE OUTUBRO

Deus Faz a Obra

... desenvolvei... [não em sua própria força] a vossa salvação com temor e tremor; porque
Deus é quem efetua em vós tanto o querer como o realizar [fortalecendo e criando
em vocês o poder e o desejo], segundo a sua boa vontade.

FILIPENSES 2.12-13

A Palavra de Deus traz libertação, e não legalismo; promessas, e não leis; orientação para uma vida abençoada, e não condenação. Muitos se esforçam para seguir um estilo de vida cristão, mas não são felizes porque se fixam em regras em vez de se basearem num relacionamento com Deus.

Se você está se arrastando, crendo que *tem de* dar, *tem de* ler a Bíblia, *tem de* orar, *tem de* caminhar no fruto do Espírito, eu o encorajo a parar de pensar que *tem de fazer* algo. Você descobrirá que Deus lhe dará a graça para *querer* fazer as coisas que levam a uma vitoriosa vida nele.

12 DE OUTUBRO

Equilíbrio Traz Segurança

Todo aquele, pois, que ouve estas minhas palavras e as pratica [obedecendo-as] será comparado
a um homem prudente que edificou a sua casa sobre a rocha.

MATEUS 7.24

Estar fora de equilíbrio abre as portas para o diabo roubar as pessoas de uma vida abençoada. O diabo tenta fazer com que elas vivam em excesso e extremos. Ele empurra alguns para serem viciados em trabalho e outros para serem preguiçosos, e ambas as atitudes os mantêm improdutivos. Ele leva alguns a buscar mais a riqueza do que a Deus e convence a outros de que a pobreza é algo bom.

Creio que a única vida segura é a vida equilibrada, e uma vida equilibrada é obtida ao manter suas prioridades em sintonia com a verdade de Deus. Edifique sua vida numa base sólida e segura ao orar a Deus e ouvir seu plano para sua vida.

Começando Bem Seu Dia

13 DE OUTUBRO

Viva Vitoriosamente por Meio da Moderação

Seja a vossa moderação conhecida de todos os homens. Perto está o Senhor.

FILIPENSES 4.5

Deus demonstra nossa necessidade de equilíbrio por meio da grande variedade de comidas que Ele torna disponível a nós. Precisamos de *um pouco* de cada coisa, mas não de *tudo* de cada uma dessas coisas. Exagerarmos em algo é tão ruim quanto não ter o suficiente.

Algumas pessoas pensam: *Se isso é uma coisa boa, quanto mais disso eu tiver, será melhor.* Mas isso não é necessariamente verdade. Tanto o exagero quanto a escassez podem ser problemas. Equilíbrio é a chave para um viver poderoso e vitorioso. Peça a Deus que lhe mostre como permanecer em equilíbrio hoje.

14 DE OUTUBRO

Aprenda a Orar

Firma os meus passos na tua palavra, e não me domine iniquidade alguma. Livra-me da opressão do homem, e guardarei os teus preceitos (ouvindo, recebendo, amando e obedecendo).

SALMOS 119.133-134

Você pode orar quinze minutos toda manhã e saber que tocou os céus porque as coisas acontecem como resultado de suas orações. Mas, se você tem um amigo que ora quatro horas por dia, isso pode levá-lo a sentir que também deveria orar mais.

Confie em Deus para orientá-lo individualmente sobre quanto tempo e sobre o que orar. Passar mais três horas e quarenta e cinco minutos orando pode tornar-se uma obra da carne, se você o fizer apenas para ser como seu amigo. Você pode se tornar miserável e improdutivo se seguir o que alguém faz em vez de simplesmente dizer: "Senhor, ensina-me a orar".

15 DE OUTUBRO

Mostre as Bênçãos

Transbordou, porém, a graça (imerecido favor e bênção) de nosso Senhor com a fé e o amor que há [é percebido] em Cristo Jesus.

1 TIMÓTEO 1.14

Deus quer abençoá-lo hoje. Você pode sentir que não deveria ter coisas agradáveis, mas deixe Deus equilibrar seus pensamentos com relação às bênçãos. Ele o ajudará a compreender o que você deve ter e aquilo que não deve ter. Deus o abençoa para que você seja uma bênção para os outros.

Quando Deus provê algo para você, isso oferece esperança para os incrédulos de que Ele é fiel para suprir aqueles que O servem. Você é um embaixador de Cristo (veja 2 Coríntios 5.20), portanto, espere sua provisão hoje, e não oculte suas bênçãos quando elas chegarem.

16 DE OUTUBRO

Comunicando Amor

Ora, se vós, que sois maus, sabeis dar boas dádivas [presentes que são vantajosos] aos vossos filhos, quanto mais o Pai celestial dará o Espírito Santo àqueles que lho pedirem?

LUCAS 11.1

Um dia, meu filho me enviou uma mensagem para meu celular enquanto ele estava viajando. Estava escrito: "Mamãe, eu amo você". Aquilo me abençoou muito. Certamente, assim que fui ao shopping, quis comprar algo para abençoá-lo e fazê-lo saber quanto me orgulhava dele.

Envie a Deus uma mensagem hoje e diga-Lhe quanto você O ama. Assim como um pai amoroso, Deus gosta de suprir suas necessidades, realizar seus desejos e abençoá-lo pelo amor que você Lhe demonstra por meio de sua obediência. Ele mal pode esperar para lhe dar aquilo de que você necessita.

Começando Bem Seu Dia

17 DE OUTUBRO

Conheça o Caráter de Deus

E o meu Deus, segundo a sua riqueza em glória, há de suprir (proverá plenamente),
em Cristo Jesus, cada uma de vossas necessidades.
FILIPENSES 4.19

Jesus espera que plantemos uma boa semente ao mostrar que Ele tem o primeiro lugar em nossa vida. E, se o fizermos, receberemos mais do que damos. Sou provada dessa forma em todos os momentos.

Há muitas ocasiões em que Deus me pediu para dar o meu último, o meu único e o meu tudo. Mas, sempre que o fiz, terminei melhor do que estava antes.

Ofereça o melhor a Deus hoje e conhecerá o caráter dAquele que é o *El-Shadai*, o Deus mais que suficiente (veja Êxodo 6.3).

18 DE OUTUBRO

Imite a Bondade de Deus

Pois o puseste por bênção (e para ser abençoado) para sempre.
SALMOS 21.6

Deus fez uma aliança com Abraão de que o abençoaria e o faria ser uma bênção para os outros (veja Gênesis 12.2). Você também é um herdeiro das verdadeiras riquezas de Deus (veja Tiago 1.9). À medida que você amadurece espiritualmente e é capaz de manejar sua herança, Deus desejará que você tenha em abundância para abençoar os outros em nome dele.

Antes que você se envolva com sua rotina diária hoje, busque a Deus e alimente sua alma com a verdade da Sua Palavra. Experimentar a presença de Deus o levará a imitar a bondade dele e a prosperar de acordo com a abundância divina.

19 DE OUTUBRO

Não Deixe os Sentimentos Governarem

O que me consola na minha angústia é isto: que a tua palavra me vivifica.
SALMOS 119.50

Deus me mostrou que sempre teremos sentimentos e que negar a existência deles não é algo bom. Mas temos de aprender a governá-los e não deixá-los nos governar.

Se vivermos por nossos sentimentos, seremos destruídos, porque nossos sentimentos nem sempre estão em sintonia com a verdade da Palavra de Deus. Temos de caminhar pela fé em suas promessas, e não pela aparência das coisas ou pela maneira que nos sentimos (veja 2 Coríntios 5.7). Peça a Deus que mantenha seus sentimentos em equilíbrio com a verdade da Sua Palavra hoje.

20 DE OUTUBRO

Tentação Não É Pecado

No dia em que eu clamei, tu me acudiste e alentaste a força (com poder e inflexibilidade contra a tentação) de minha alma.
SALMOS 138.3

A tentação para cometer algum erro pode fazê-lo sentir-se mal consigo mesmo. Você pode pensar: *Eu não deveria estar passando por isso, eu não deveria ter um problema assim.* Mas Deus me ensinou que a tentação não é pecado; pecamos quando cedemos à tentação.

A Bíblia diz que a tentação virá. Ela não diz: "Ai daquele que é tentado", mas diz também: "Ai do homem pelo qual vem o escândalo" (veja Mateus 18.7). Jesus nos diz para orar para que não caiamos em tentação quando formos tentados (Lucas 22.40).

O Salmo 15.41 é uma boa maneira para começar seu dia corretamente. Ele diz: "Busque, procure e anele pelo Senhor, anseie por Ele e por sua força (seu poder e inflexibilidade contra a tentação), busque e procure seu rosto e sua presença [continuamente], cada vez mais".

Começando Bem Seu Dia

21 DE OUTUBRO

O Perdão Vence

Porque, se perdoardes aos homens as suas ofensas [suas faltas e pecados voluntários, deixá-las, soltá-las e desistir do ressentimento], também vosso Pai celeste vos perdoará.

MATEUS 6.14

A falta de perdão arruinará seu dia. Se alguém o machuca, ore imediatamente: "Deus, eu perdôo a essa pessoa em nome de Jesus". Se suas emoções são abaladas quando você se encontra com aquela pessoa, permaneça firme em sua decisão de perdoar.

Ore por ela, peça a Deus que lhe mostre como abençoá-la. Faça tudo o que Deus direcioná-lo a fazer e deixe o amor de Deus trabalhar na sua vida para curar a brecha que há entre vocês. Se você fizer sua parte, Deus alinhará seus sentimentos com sua decisão, e você desfrutará seu dia e sua vida.

22 DE OUTUBRO

Seja Sincero

Não digas: Vingar-me-ei do mal; espera pelo Senhor, e ele te livrará.

PROVÉRBIOS 20.22

Deus não se incomodará se você Lhe disser honestamente como se sente. Na verdade, dizer a Deus como você se sente trará alívio a si mesmo. Se você reprime seus sentimentos e finge não estar irado ou machucado e tenta ser superespiritual, perderá a cura que Deus tem para lhe dar.

Seja sincero com Deus. Não carregue esse tormento durante todo o dia. Perceba o que está acontecendo em seu interior e fale com Deus a respeito. A verdade é a única coisa que o colocará livre para desfrutar o resto de seu dia (veja João 8.32).

23 DE OUTUBRO

Supere Isso

Melhor é a repreensão franca do que o amor encoberto.
PROVÉRBIOS 27.5

Ocultar seus verdadeiros sentimentos, como ressentimento ou falta de perdão, o manterá em escravidão. É impossível que seu dia comece corretamente se você continuar caminhando com o sofrimento das feridas de ontem. Se você carrega esse tipo de bagagem emocional, isso envenenará seu dia.

Algumas vezes você tem de confrontar as coisas para torná-las melhor. Mas use a sabedoria. Embora seja benéfico falar sobre as coisas, não expresse todos seus pensamentos e emoções a cada pessoa que encontrar hoje.

Fale com Deus sobre sua situação antes de encontrar alguém. Ele até poderá levá-lo a falar com alguém em quem você confia, mas, se não o fizer, aprenda a confiar completamente nele e prossiga.

24 DE OUTUBRO

Ministre às Suas Emoções

Guarda-me (e proteja-me), ó Deus, porque em ti me refugio (confio e me abrigo).
SALMOS 16.1

Deus nos deu sentimentos, e é certo ministrar às suas emoções ou às emoções de outras pessoas. Faça algo agradável para manter suas emoções saudáveis; apenas não seja dominado por elas.

Cuide bem de si mesmo com um bom banho quente ou uma caminhada ao ar livre. Faça o que precisar para obter bem-estar emocional. Se ontem foi um dia difícil, obtenha restauração espiritual e emocional antes de começar um novo dia. Passe algum tempo sozinho com Deus, ouvindo algum ensino bíblico ou músicas de louvor e preencha seu coração com a consciência da presença de Deus.

Começando Bem Seu Dia

25 DE OUTUBRO

Encontre Equilíbrio

Por esta razão, importa que nos apeguemos, com mais firmeza, às verdades ouvidas, para que delas jamais nos desviemos.

HEBREUS 2.1

Quando Satanás encontra pessoas fora de equilíbrio, ele vê uma brecha para destruir-lhes a vida. Há pessoas que estão fora de equilíbrio em tudo, desde não dormir, até dormir demais; desde manter a casa em desordem até tentar mantê-la tão limpa que ninguém pode andar dentro dela.

Encontre equilíbrio; o equilíbrio manterá seu dia correndo bem. Satanás não se importa muito se você não faz algo o suficiente ou se faz alguma coisa de forma exagerada, desde que você não esteja em equilíbrio. Tome algum tempo para examinar-se, orar e pedir a Deus que lhe mostre como permanecer equilibrado.

26 DE OUTUBRO

Aprecie o Chamado de Deus

Assim também nós, conquanto muitos, somos um só corpo em Cristo (o Messias) e membros uns dos outros [mutuamente dependentes uns dos outros].

ROMANOS 12.5

Aprenda a apreciar o chamado de Deus em sua vida. Ele tem um diferente chamado para cada um. Ninguém é chamado para fazer tudo o que precisa ser feito, mas cada um pode desfrutar aquilo que lhe é designado. Nós também podemos desfrutar a obra que Deus realiza por intermédio de outras pessoas.

Hoje aproveite a oportunidade para amadurecer no conhecimento de Deus e desfrutar aquilo que Ele o chamou para fazer. Sua parte é necessária. Peça a Deus, logo de manhã, que lhe mostre como usar seus dons para ajudar outras pessoas.

27 DE OUTUBRO

Fale Positivamente

Eis que te comprazes na verdade no íntimo e no recôndito me fazes conhecer a sabedoria.

SALMOS 51.6

Determine-se a falar palavras de fé hoje, mantendo sua confissão sincera, porém positiva. Não negue a existência de suas circunstâncias, mas confesse o que a Palavra de Deus tem a dizer a respeito da sua situação.

Por exemplo, se está fungando, tossindo e com dificuldades para respirar, não seria honesto dizer que você não está doente. Mas você pode aprender a apresentar a situação negativa de forma positiva. Pode dizer: "Creio que Deus tem poder curador operando em mim agora e que me sentirei cada vez melhor".

28 DE OUTUBRO

Evite os Extremos

Aplica o coração ao ensino e os ouvidos às palavras do conhecimento.

PROVÉRBIOS 23.12

Quando me tornei cristã, ouvi uma mensagem sobre manter a boca fechada e tomei a decisão de que, no dia seguinte, não abriria a boca para dizer nada. Estava determinada a não me envolver com qualquer problema por causa das minhas palavras.

Na manhã seguinte, não disse uma palavra por várias horas. Então, alguém me perguntou: "Qual é o seu problema? O que há de errado com você"? Isso fez me sentir furiosa novamente. Finalmente, aprendi que extremos nunca tornam nossos dias melhores. Ler a Palavra de Deus nos ajuda a encontrar equilíbrio para enfrentar tudo o que vier em nosso caminho. A Palavra diz que devemos ser sóbrios (bem equilibrados) porque o diabo procura alguém para devorar (veja 1 Pedro 5.8).

Começando Bem Seu Dia

29 DE OUTUBRO

Promessas Invisíveis, mas Reais

... e tudo quanto pedirdes em oração (tendo fé e realmente) crendo, recebereis.

MATEUS 21.22

Antes de Deus cumprir sua promessa de dar um filho a Abrão, Ele mudou o nome de Abrão (pai exaltado) para Abraão (pai de multidões) (veja Gênesis 17.1-6). Deus falou a promessa muito antes que ela se tornasse visível para todos.

Tudo o que está na Palavra de Deus são promessas que podem ser correta e legalmente ditas mesmo antes de ser visíveis. Alcance no reino espiritual o que você ainda não pode ver e traga as promessas de Deus dali, com as palavras de sua boca e profetize-as, chamando-as à existência. Leia a Palavra de Deus e aja conforme o Espírito Santo dirigi-lo hoje.

30 DE OUTUBRO

A Palavra de Deus Muda as Coisas

Tendo, porém, o mesmo espírito da fé, como está escrito: Eu cri; por isso, é que falei. Também nós cremos; por isso, também falamos.

2 CORÍNTIOS 4.13

Deus criou com palavras tudo o que vemos. Deus *disse:* "Haja luz" e houve luz. Hebreus 11.3 diz que tudo que é visível foi criado a partir do invisível. Deus tem bênçãos estocadas para você no reino espiritual que você não pode não estar experimentando, mas elas existem.

Diga palavras positivas hoje e chame todas essas coisas que não são (que são invisíveis) em sua vida (veja Romanos 4.17). Se enfrentar algum problema hoje, diga: "Meu problema é temporário. A Palavra de Deus diz que sou mais que vencedor por causa do amor de Cristo por mim. Embora ainda não veja as respostas, Deus providenciará tudo de que necessito".

31 DE OUTUBRO

Estime os Outros

Portanto, cada um de nós agrade ao próximo no que é bom para edificação [fortalecê-lo e edificá-lo espiritualmente].

ROMANOS 15.2

Há pessoas que seguem a "carreira" de criticar a todos. Mas aquelas que julgam as pessoas que estão fazendo algo são geralmente as que nada fazem. Elas apontam outras pessoas para rebaixá-las como uma forma de elevarem a si mesmas.

A Palavra de Deus nos chama para edificar aos outros, estimando-os com mais honra do que a nós mesmos (veja Filipenses 2.3). Evite pessoas que constantemente criticam outros para que seus comentários negativos não roubem seu entusiasmo piedoso. Deus pode usá-lo hoje para ajudar a fortalecer a fé de alguém. Peça-Lhe que o torne consciente dessas oportunidades neste dia.

1º DE NOVEMBRO

Ame a Verdade

Mas, seguindo a verdade em amor, cresçamos em tudo naquele que é a cabeça, Cristo.

EFÉSIOS 4.15

Se você quer se tornar plenamente maduro no Senhor, deve aprender a amar a verdade. Caso contrário, você sempre deixará uma porta aberta ao engano para o inimigo levar aquilo que lhe é destinado.

Algumas pessoas têm dificuldades de enfrentar a verdade e a realidade. Elas preferem viver em um mundo de fantasia, fingindo que certas coisas não estão acontecendo. Mas não podemos negar a existência de problemas ou dos fatos e fingir que não são reais.

O diabo é real, a vida é real, as pessoas são reais, a dor é real e a pobreza é real. A boa nova é que não importa quanto nosso sofrimento possa ser real ou como nossos problemas possam parecer grandes – podemos vencê-los totalmente com a Palavra de Deus.

Começando Bem Seu Dia   163

2 DE NOVEMBRO

Desfrute Todo o Seu Sia

Louvar-te-ei, Senhor, de todo o meu coração; contarei todas as tuas maravilhas.

SALMOS 9. 1

Alguns cristãos sentem-se culpados quando estão fazendo algo que não parece "espiritual". De uma forma ou outra, eles sentem a necessidade de ir rapidamente ao supermercado, limpar a casa de forma apressada, correr durante todo dia e passar rapidamente por todos os aspectos diários da vida que parecem irrelevantes para sua fé. Eles querem voltar a fazer algo que realmente pareça "espiritual" para que Deus Se agrade deles novamente.

Deus não pretendeu que você detestasse o lado secular da vida. Você pode desfrutar santidade e tempo com Deus mesmo quando estiver fazendo as tarefas diárias ou levando seus filhos a algum lugar. Não subestime as coisas rotineiras da vida; veja cada atividade como uma oportunidade para servir a Deus de todo coração.

3 DE NOVEMBRO

Encoraje, Não Critique

Consolai-vos (exortai, admoestai), pois, uns aos outros e edificai-vos se (fortalecei-vos e animai-vos) reciprocamente, como também estais fazendo.

1 TESSALONICENSES 5.11

Poderemos aperfeiçoar nossos relacionamentos com os outros rapidamente se nos tornarmos encorajadores em vez de críticos. É a pessoa mais nobre que toma a iniciativa para fazer o que é certo; a justiça de Cristo habita em você para ajudá-lo a fazer o que é certo. Você é grande aos olhos de Deus quando escolhe fazer o que é certo e abençoar os outros.

Não importa quão difícil seja seu dia hoje, fale palavras que encorajem aqueles ao seu redor. Encoraje outros ao notar que estão fazendo um bom trabalho, não apenas aqueles que trabalham com você, mas as pessoas aonde quer que vá, tais como balconistas, mecânicos e garçons. Diga algo como: "Parabéns pelo seu esforço em realizar bem o seu trabalho". Você pode mudar sua vida e a vida de mais alguém ao escolher falar palavras positivas.

JOYCE MEYER

4 de Novembro

Mantenha-se Equilibrado

Nós, porém, que cremos (confiamos, nos apegamos e nos apoiamos em Deus), entramos no descanso.

HEBREUS 4.3

É fácil tornar-se sobrecarregado, exausto, fatigado, cansado e estressado se você está tentando se envolver com muitos compromissos. É algo fora de equilíbrio tentar fazer tudo. Se você está feliz em fazer o que faz, mantenha-se fazendo isso. Mas, se isso o perturba e rouba sua paz, não o faça. Que sentido há em comprometer-se com algo e, então, murmurar e reclamar enquanto está fazendo?

Ser sobrecarregado o frustrará. A ansiedade é geralmente o sinal de que Deus nunca lhe disse para fazer o que está fazendo. Para evitar frustrações na vida, permaneça em equilíbrio.

5 de Novembro

Fale de Deus por Onde For

Acaso, não sabeis que o vosso corpo é (o próprio) santuário do Espírito Santo, que está em vós, o qual tendes [como um dom] da parte de Deus?

1 CORÍNTIOS 6.19

O anjo do Senhor disse a Moisés: "Tira a sandália dos teus pés, pois a terra em que você está pisando é santa" (veja Êxodo 3.5). A terra é santa porque Aquele que é Santo está ali. Agora, por meio da fé em Jesus, você é o templo do Espírito Santo. Onde quer que vá, o lugar torna-se santo porque aquele que é santo habita em você.

Deus não está num edifício onde você pode visita-lo somente no domingo pela manhã. Ele está com você onde quer que for. Você pode falar com Ele enquanto limpa sua casa ou troca o óleo do carro. Quando você deixa Deus se envolver em cada aspecto de sua vida, cada dia se torna empolgante.

Começando Bem Seu Dia

6 DE NOVEMBRO

Ore Durante Todo o Dia

Suba à tua presença a minha oração, como incenso, e seja o erguer de minhas mãos como oferenda vespertina.

SALMOS 141.2

Deus quer ser o centro de sua vida; o centro da sua conversa, o centro do seu lazer e o centro de seus relacionamentos. A oração manterá Deus no centro de tudo o que você fizer.

Há alguns anos eu diria que orava uma hora por dia, mas, agora, nem mesmo posso determinar quanto tempo oro, porque simplesmente oro todas as vezes que vejo ou sinto alguma necessidade. Oro enquanto dirijo, enquanto trabalho, enquanto descanso. Algumas vezes, apenas paro o que estou fazendo e louvo a Deus, e isso é oração também. Lanço meus cuidados a Ele e digo: "Senhor, não vou me preocupar com nada hoje; entregarei tudo a Ti".

A oração de ser como a respiração, algo natural a se fazer onde quer que você vá.

7 DE NOVEMBRO

Ações Amorosas Falam Claramente

[Vivam como convém,] Com toda a humildade (modéstia) e mansidão (altruísmo, gentileza, suavidade), com longanimidade, suportando-vos uns aos outros em amor.

EFÉSIOS 4.2

É bom que os membros não convertidos de sua família o vejam estudando a Bíblia, indo à igreja e produzindo o fruto do Espírito. Mas sua família pode ser mais receptiva ao evangelho se você ministrar às necessidades delas. Isso pode requerer que você desista de uma reunião de oração para fazer algo com eles, tal como pescar ou fazer compras com sua esposa, ajudar seu filho a consertar o carro ou levar sua filha para almoçar.

A Bíblia diz que o homem natural não compreende o homem espiritual (veja um Coríntios 2.14). Falar de forma espiritual nem sempre faz sentido para pessoas não convertidas, mas atitudes amorosas falam claramente a elas. Caminhe na unção do amor hoje: seja amável, alegre, pacífico e estável. Deixe Deus amar os outros por intermédio de você.

8 DE NOVEMBRO

Seja Sábio Contra o Inimigo

Sede sóbrios (bem equilibrados) e vigilantes. O diabo, vosso adversário, anda em derredor, como leão que ruge procurando alguém para devorar.

1 PEDRO 5.8

Satanás não pode devorar simplesmente quem ele quer. Ele tem de encontrar alguém que lhe dê abertura para isso. Uma das formas de darmos brecha para sermos destruídos é pelo desequilíbrio em nossa vida. Um bom exemplo: se comemos de forma imprópria ou desequilibrada durante um longo período, abrimos a porta para o inimigo trazer enfermidades e destruição em nossa vida.

Muitas vezes, quando as pessoas estão se recuperando de enfermidades seguem uma dieta restrita que traz o equilíbrio de volta a seus hábitos alimentares. Encontre equilíbrio em tudo o que faz e mantenha o inimigo do lado de fora.

9 DE NOVEMBRO

Bênçãos Interiores Mostradas Publicamente

E, assim, se alguém está [enxertado] em Cristo (o Messias), é nova criatura (uma criatura completamente nova); as coisas antigas [a prévia condição moral e espiritual] já passaram; eis que se fizeram novas.

2 CORÍNTIOS 5.17

Quando Deus me batizou no Espírito Santo, senti como se tivesse sido cheia de amor. Ele fez algo dentro de mim, e isso se mostrou externamente. Mudanças internas duram e transparecem em tudo o que fazemos.

Eis por que você não pode realmente ser um cristão secreto. Se você é salvo, isso aparecerá às pessoas. Se você diz que é salvo, mas nada mudou em sua vida, algo está errado. Quando Jesus vem viver em você, Ele se envolve com a maneira como você vive e como vê a vida, para fazê-lo mais parecido com Ele mesmo. Receba bem qualquer mudança que Ele precise fazer em você hoje.

Começando Bem Seu Dia

10 DE NOVEMBRO

Fale sobre Deus, Não sobre o Diabo

... nem deis lugar ao diabo [não dê oportunidade alguma a ele].

EFÉSIOS 4.27

Certa vez, Deus me disse: "Pare de falar tanto sobre o diabo, sobre o que ele está dizendo e fazendo. *Eu* estou *falando* algo! Fale sobre o que *Eu* estou *falando*. *Eu* estou *fazendo* algo! Fale sobre o que *Eu* estou *fazendo*".

Então, um dia Deus me deu uma orientação transformadora dizendo: "Por que você não estuda a Palavra e vê como Jesus lutava a guerra espiritual"?

Descobri que Jesus não falava ou pregava muito sobre o diabo, sobre o que ele estava dizendo ou fazendo. Jesus simplesmente lidava com o diabo ao expulsá-lo fora da vida das pessoas. Ele lhe dizia para calar-se. Ele mencionava a Palavra para Satanás (veja Lucas 4.1-13). Resista ao diabo hoje e fale com alguém sobre as boas coisas que Deus está fazendo por você.

11 DE NOVEMBRO

Conserve Sua Paz

Floresça em seus dias o [inflexivelmente] justo, e haja abundância de paz até que cesse de haver lua.

SALMOS 72:7

Na Bíblia, as pessoas são instruídas a manter sua paz, pois a paz é um lugar de poder. Deus diz para não nos movermos quando nossos oponentes e adversários vêm contra nós. Devemos permanecer constantes, inabaláveis e em paz. Sua Palavra diz: "O Senhor pelejará por vós, e vós (mantereis sua paz) e vos calareis." (Êxodo 14.14).

Não importa o que esteja acontecendo, permaneça firme; continue tratando bem as pessoas, continue caminhando no fruto do Espírito. Você não sabe que qualidade de fruto você tem até que alguém vem e "o experimenta". Você não sabe quanto fruto tem até que alguém o colha durante todo o dia.

12 DE NOVEMBRO

Fale o que É Certo

Confia (dependa, creia e esteja confiante) no Senhor e faze o bem; (e assim habitarás seguramente na fidelidade de Deus e verdadeiramente serás alimentado) habita na terra e alimenta-te da verdade.

SALMOS 37.3

Resultados poderosos acontecem quando você faz o que é certo. Fazer o que é certo é guerra espiritual em alto nível! Isso coloca você numa posição na qual o diabo não pode afetá-lo, porque você decidiu permanecer inabalável e não se perturbar.

Permaneça na fé e confie em Deus. A Bíblia diz no Salmo 37.1 que "os malfeitores (aqueles que não são retos ou não estão em posição correta com Deus)", serão removidos como a relva. Quando os problemas surgem contra você, quando seus inimigos o atacam, ou o mau o assalta subitamente, confie em Deus, e faça o bem.

13 DE NOVEMBRO

Não Perca o Foco

Porque as armas da nossa milícia não são carnais [armas de carne e sangue], e sim poderosas em Deus, para destruir fortalezas, anulando nós e sofismas.

2 CORÍNTIOS 10.4

Algumas vezes perdemos nosso foco. Podemos estar caminhando em amor durante todo o dia, nos comportando bem, até que alguém nos ofende. Logo esquecemos nosso foco de amor, paramos de avançar e ficamos paralisados: permanecemos magoados, perturbados e ofendidos.

Compreenda que a mente é o campo de batalha. Se você não detiver Satanás quando ele entra em seus pensamentos, não irá detê-lo ao entrar em sua vida. Permaneça no foco. Peça a Deus que o ajude a permanecer cheio de amor, não importa o que venha em seu caminho hoje.

Começando Bem Seu Dia

14 DE NOVEMBRO

Edificando em Bases Sólidas

Porque ninguém pode lançar outro fundamento, além do que foi posto,
o qual é Jesus Cristo (o Messias, o Ungido).
1 CORÍNTIOS 3.11

Podemos conhecer vários métodos (ou fórmulas) espirituais para obter as coisas, mas muitos desses métodos simplesmente não têm poder fluindo por meio deles. Métodos sem poder são como contêineres vazios e inúteis.

Aprendi muitos métodos espirituais e estive bastante ocupada tentando executá-los, até que percebi que métodos não funcionam. É como edificar numa fundação frágil; isso não sobreviverá ao teste do tempo. Se nossos fundamentos são fracos, estaremos em problemas cada vez que houver tempestades.

Edifique sua vida naquilo que você é em Cristo. Tenha tempo para meditar nas coisas fundamentais sobre ser um cristão. Edifique sua vida no fundamento de que você é um herdeiro da graça de Deus e de seu imerecido favor.

15 DE NOVEMBRO

Confie em Deus

Porque o Senhor será a tua segurança e guardará os teus pés de serem presos.
PROVÉRBIOS 3.26

Jesus sabia de onde vinha, sabia aquilo para o qual estava sendo enviado para fazer, e para onde iria. Quando você adquire a confiança por conhecer a Deus e seu propósito para sua vida, não será afetado pelos julgamentos ou críticas de outras pessoas.

Você sabe que pertence a Deus, sabe que a mão dele está sobre sua vida. Você sabe que a unção dele está sobre você e sabe aquilo para o qual foi chamado. Sabe que está tentando segui-lo com cada fôlego seu e sabe para onde irá quando tudo estiver terminado. Diga: "Nada que aconteça hoje pode me separar do amor de Deus e de Seu propósito para minha vida".

16 de Novembro

As Promessas de Deus Serão Cumpridas

Filhinhos, vós sois de Deus e tendes vencido os falsos profetas, porque maior é aquele que está em vós do que aquele que está no mundo.

João 4.4

Saiba quem você é em Cristo e compreenda que por meio da salvação você é visto no mundo espiritual com vestes de salvação e recoberto com o manto de justiça (veja Isaías 61.10). Deus está do seu lado e está sobre você, ao seu redor, com você, por você e *em* você.

O diabo *sabe* que você pertence a Cristo porque Deus "[tem também se apropriado e nos reconhecido como seus, pois] colocou seu selo sobre nós e nos deu seu Espírito [Santo] em nosso coração como penhor e garantia [do cumprimento da sua promessa]" (2 Coríntios 1.22 – AMP).

17 de Novembro

Cristianismo Poderoso

... mas recebereis poder, ao descer sobre vós o Espírito Santo, e sereis minhas testemunhas tanto em Jerusalém como em toda a Judéia e Samaria e até aos confins da terra.

Atos 1.8

Ser *cheio do Espírito* não está limitado a algum ramo particular do cristianismo. Pessoas cheias do Espírito são encontradas em cada igreja e em cada denominação. São pessoas que compreendem a necessidade do poder do Espírito Santo dentro de si para que não vivam de forma frágil e derrotada.

A Bíblia diz que devemos ser "sempre cheios do Espírito [Santo]" (Efésios 5.18 – AMP), indicando que ser cheio do Espírito é algo ao qual nos rendemos. Peça a Deus que o encha abundantemente do Espírito para que tudo o que você faça hoje seja realizado por intermédio do poder dele.

Começando Bem Seu Dia

18 DE NOVEMBRO

Permaneça na Presença de Deus

Agora, será exaltada a minha cabeça acima dos inimigos que me cercam. No seu tabernáculo, oferecerei sacrifício de júbilo; cantarei e salmodiarei ao Senhor.

SALMOS 27.6

O salmista Davi disse que a coisa que ele mais desejava era estar com Deus e habitar na presença dele todos os dias de sua vida (veja Salmos 27.4). Davi amava a Deus pelo que Ele era, não apenas por aquilo que Ele fazia em seu favor.

A Palavra diz que se habitarmos na presença de Deus Ele derrotará nossos inimigos e nos ocultará no dia da adversidade (veja v. 5). A atenção de Deus está em nós, mas devemos manter nossa atenção nele para desfrutarmos a plenitude de Sua presença em nossa vida. Devemos convidá-lo a se envolver em tudo o que fizermos e nos lembrar de louvá-lo por Sua bondade.

19 DE NOVEMBRO

Busque a Deus em Primeiro Lugar

Porque o reino de Deus não é [obter] comida nem bebida, mas justiça (aquele estado que torna uma pessoa aceitável a Deus), e [um coração em] paz, e alegria no Espírito Santo. Aquele que deste modo serve a Cristo é agradável a Deus e aprovado pelos homens.

ROMANOS 14.17-18

Esqueça *todas as coisas* que você pensa que precisa e apenas admita a Deus que precisa *dele*. Busque em primeiro lugar o reino de Deus e sua justiça, e tudo de que você precisar será acrescentado à sua vida (veja Mateus 6.33).

Deus conhece suas necessidades antes que você as peça a Ele. Não se torne ansioso por promoção ou posição. Não gaste sua vida buscando prosperidade. Busque Aquele que faz prosperar. Busque aquele que cura, aquele que é o doador de toda a boa dádiva e de todo dom perfeito.

20 DE NOVEMBRO

Permaneça Firme

Ele [Abraão] creu [confiou, dependeu, permanecer firme] no Senhor, e isso lhe foi imputado para justiça (posição correta diante de Deus).

GÊNESIS 15.6

Passar tempo com Deus mantém você estável, firme e tranquilo. Deus diz que Ele "o fortalecerá e firmará para enfrentar as dificuldades" (Isaías 41.10). Quando sua fé é alimentada diariamente pela presença de Deus, o diabo não pode controlá-lo, porque você não se perturba facilmente.

Ser cheio da verdade de Deus torna mais fácil viver a vida que Ele planejou para você. Deixe Deus ser sua âncora no meio das ondas violentas das circunstâncias. Permaneça firme nele.

21 DE NOVEMBRO

Não se Embarace

Revesti-vos de toda a armadura de Deus [de um soldado fortemente armado, a qual Deus provê], para poderdes ficar firmes contra as ciladas (estratégias, enganos) do diabo.

EFÉSIOS 6.11

Somos chamados a ser soldados do exército de Deus. Paulo disse a Timóteo que nenhum soldado se embaraça com os prazeres civis desta vida, mas seu alvo é satisfazer e agradar àquele que o alistou (2 Timóteo 2.4). Da mesma forma, quando servimos ao Senhor, devemos nos focar em sua obra, e não em nossos próprios interesses.

Se quisermos ser testemunhas do poder de Deus, devemos, primeiramente, fazer o que Ele nos diz e demonstrar aos outros o fruto que vem por servi-lo (veja versículos 6-7). Fazemos isso ao conservar nossa mente constantemente em Jesus Cristo. Devemos, ainda, lidar com os negócios da vida cotidiana, mas não devemos deixar que os afazeres do mundo nos enredem e nos prendam.

Começando Bem Seu Dia

22 DE NOVEMBRO

A Batalha É do Senhor

O anjo do Senhor acampa-se ao redor dos que o temem
[que o reverenciam e adoram com respeito] e os livra.

SALMOS 34. 7

No Antigo Testamento, as pessoas carregaram estandartes quando foram guerrear, enviando cantores e músicos à sua frente para a batalha. Quando a tribo de Judá cantou "Dêem graças ao Senhor, porque ele é bom, e a sua misericórdia dura para sempre" (veja 2 Crônicas 20.21), os inimigos ficaram tão confusos que se mataram e se destruíram mutuamente (veja versículo 22).

Quando o rei Josafá preparou-se para a batalha, tomou posição ao se prostrar com o rosto em terra e adorar a Deus (veja versículo 18). Se você tem batalhas a enfrentar, coloque-se na posição de guerra e apenas adore ao Senhor. A resposta de Deus à nossa adoração é: "Não temas nem te desanime diante dessa grande multidão, pois a batalha não é sua, mas do Senhor" (v. 15).

23 DE NOVEMBRO

Guerra Espiritual

Seja a paz (harmonia da alma que vem) de Cristo o árbitro (agir como árbitro continuamente)
em vosso coração [decidindo e resolvendo com determinação todas as questões que surgem em
suas mentes, nesse estado de paz], à qual, também, fostes chamados em um só corpo; e sede
agradecido) [dando louvores sempre a Deus].

COLOSSENSES 3.15

Você está lutando a batalha espiritual quando dá louvores a Deus em meio à sua necessidade ou escassez. Quando você é grato a Deus por tudo o que Ele tem feito ou está fazendo, derrota o inimigo. Quando você mantém sua paz em meio à tempestade, está guerreando com armas espirituais (veja 2 Coríntios 10. 4-5).

Jesus disse: "Deixo-lhes minha paz; minha [própria] paz Eu dou e deixo com vocês... [Parem de estarem agitados e perturbados, e não se permitam ser temerosos, intimidados, covardes e instáveis]" (João 14. 27 – AMP). Jesus nos deu sua paz! Revista-se dela por onde quer que vá.

JOYCE MEYER

24 DE NOVEMBRO

Permaneça!

Lembrai-vos [determinadamente] as coisas passadas da antiguidade [as quais fiz]: que eu sou Deus, e não há outro, eu sou Deus, e não há outro semelhante a mim; que desde o princípio anuncio o que há de acontecer e desde a antiguidade, as coisas que ainda não sucederam; que digo: o meu conselho permanecerá de pé, farei toda a minha vontade.

ISAÍAS 46.9-10

Pode haver momentos em que parece que você não conseguirá prosseguir, mas ao menos não está retrocedendo. Você pode não saber como seguir adiante, mas pode permanecer firmemente naquilo que já conhece sobre Deus.

Em vez de passivamente render-se ao inimigo, você pode dizer: "Esse é o terreno que já conquistei, e eu não vou desistir dele, diabo! Você não me fará retroceder ao buraco de onde Deus me tirou. Irei permanecer firme no poder de Deus até que Ele me liberte".

25 DE NOVEMBRO

Submeta-se a Deus

Somente em Deus, ó minha alma, espera silenciosa, porque dele vem a minha esperança.

SALMOS 62.5

Tiago 4.7-8 dá o melhor conselho de como vencer a guerra espiritual: "Sujeitai-vos, portanto, a Deus; mas resisti ao diabo, e ele fugirá de vós. Chegai-vos a Deus, e ele se chegará a vós outros".

Quando você se humilha na presença do Senhor, Ele o exalta e torna sua vida mais significativa (veja versículos 9-10). Deus lhe mostrará como resistir ao diabo. Passe tempo na presença dele e faça o que Ele lhe disser!

Começando Bem Seu Dia

26 DE NOVEMBRO

Não Permaneça Irado

Deixa a ira, abandona o furor; não te impacientes; certamente, isso acabará mal.

SALMOS 31.8

A Palavra traz outra forma de resistir à tentação: "Irai-vos e não pequeis; não se ponha o sol sobre a vossa ira (sua exasperação, fúria ou indignação), nem deis lugar ao diabo (não dê qualquer oportunidade a ele)" (Efésios 4.26-27).

Paulo disse que devemos perdoar às pessoas para impedir que Satanás obtenha vantagens sobre nós (veja 2 Coríntios 2.10-11). Se alguém o ofende, supere isso imediatamente para que você não deixe uma porta aberta para o diabo. É pecado manter a ira e amargura, assim, nunca durma furioso. Se você perdoar a todos antes de adormecer, a liberdade das atitudes erradas em seu coração o ajudará a começar o dia seguinte da forma certa.

27 DE NOVEMBRO

Prossiga

Ainda que eu ande pelo (profundo e escuro) vale da sombra da morte, não temerei mal nenhum, porque tu estás comigo; o teu bordão (para proteger) e o teu cajado (para guiar) me consolam.

SALMOS 23. 4

Conhecer a Deus de maneira pessoal requer confiança nele nos tempos difíceis da vida e não se afastar da presença dele durante as tribulações. Requer permanecer fiel fazendo o que Ele diz para fazer, mantendo-se firme enquanto espera que Ele trabalhe em seus problemas.

Você compreende quanto Deus é fiel e bom ao perceber a libertação divina operando em sua vida. Você não pode obter essa experiência apenas lendo um livro a respeito de Deus. Sua fé cresce ao enfrentar tempos difíceis e ver a presença do Senhor fazendo diferença na sua vida. Não se afaste de Deus durante as provas e tribulações; aproxime-se dele e ouça a Sua voz trazendo-lhe segurança.

JOYCE MEYER

28 DE NOVEMBRO

Seja Determinado

... e estando nós mortos [destruídos] em nossos delitos, nos deu vida juntamente com Cristo [Ele nos deu a própria vida de Cristo, a mesma nova vida com a qual a Ele o vivificou, pois] pela graça (seu favor e misericórdia que vocês não mereciam) sois salvos (libertos do juízo e feitos co-participantes da salvação de Cristo).

EFÉSIOS 2.5

Paulo disse: "Meu propósito e determinação é que eu possa conhecer a Cristo e o poder da sua ressurreição, o poder que me levanta dentre os mortos, mesmo estando neste corpo" (veja Filipenses 3.10-11).

Você pode usar cada dia para conhecer a Deus de forma mais profunda. Leia a Bíblia para compreender o que Ele quer lhe revelar e receba Sua graça para se levantar de um passado de falhas. Deixe o poder de Deus vivificá-lo para viver da maneira que agrada a Ele.

29 DE NOVEMBRO

Não se Descontrole

Considerai, pois, atentamente, aquele que suportou tamanha oposição dos pecadores contra si mesmo [calculem e considerem tudo isso em comparação com suas próprias tribulações], para que não vos fatigueis, desmaiando em vossa alma.

HEBREUS 12.3

Temos autoridade sobre o diabo, mas isso não significa que ele nunca virá contra nós. Resistir ao diabo não nos livra de problemas. Mas permanecer em fé nas promessas de Deus enquanto esperamos que o Senhor opere nos impedirá de agir como o diabo deseja.

Não se impressione com o diabo. Se ele causar problemas para você hoje, apenas lhe diga: "Esqueça, diabo! Não vou ficar ferido, amargurado, aborrecido ou irado. Minha confiança está em Deus. Sou um cristão. Simplesmente observe quão feliz eu sou"!

Começando Bem Seu Dia

30 DE NOVEMBRO

Deixe Cristo Viver por Intermédio de Você

Logo, já não sou eu quem vive, mas Cristo vive em mim; e esse viver que, agora, tenho na carne, vivo pela fé (por aderir, apoiar-me e confiar completamente em) no Filho de Deus, que me amou e a si mesmo se entregou por mim.

GÁLATAS 2.20

Algumas pessoas precisam desaprender algumas coisas antes de começarem a aprender o que Deus quer para elas. Por exemplo, algumas pessoas tentam manipular outras com sua autopiedade ou sua ira. Elas acreditam que por meio dessas ferramentas emocionais obterão o que quiserem dos outros. Algumas pessoas que foram feridas ou abusadas sentem que têm de cuidar de si mesmas porque ninguém mais o fará.

Tais atitudes demonstram um medo comum: "O que será de mim"? Mas Paulo oferece um princípio transformador a ser seguido: "Fui crucificado com Cristo e não vivo mais, mas Cristo vive em mim" (Gálatas 2.20 – AMP). Quando Cristo vive em você, cada dia de sua vida poderá ser totalmente desfrutado.

1º DE DEZEMBRO

Confie em Deus

Mas regozijem-se todos os que confiam em ti; folguem de júbilo para sempre, porque tu os defendes; e em ti se gloriem os que amam o teu nome.

SALMOS 5.11

Muitas pessoas feridas não sabem como obter aquilo de que realmente precisam, por isso se arrastam na autopiedade. Deus certa vez me disse: "Joyce, ou você é vítima, ou é vitoriosa, mas você não pode ser ambas as coisas".

Tirar os olhos de nós mesmos nos capacita a olhar para Deus. Isso nos posiciona a confiar nele para suprir cada necessidade em nossa vida. Ele sabe exatamente do que precisamos e promete prover tudo mediante sua abundante graça e misericórdia.

Peça-Lhe que encha sua vida com seu poder hoje e confie nele como Jeová Jiré, o Senhor que provê (veja Gênesis 22.14).

2 DE DEZEMBRO

Espere pela Justiça de Deus

Cientes [com toda a certeza], de que recebereis do Senhor [e não dos homens] a [real] recompensa da herança. A Cristo (o Messias), [é] o Senhor, é que estais servindo.

COLOSSENSES 3.24

Deus tem me abençoado grandemente ao me compensar pelo abuso que sofri em meus primeiros anos de vida. Agora tenho uma vida maravilhosa. Ele me abençoa, fazendo coisas boas para mim, abrindo portas de oportunidades, fazendo-me feliz e me dando alegria.

Quando você realmente confia em Deus, Ele fará justiça em sua vida. Em Isaías 61.7, o Senhor diz: "Por sua antiga vergonha lhe darei uma dupla recompensa" (parafraseado). Se alguém o maltratou, o rejeitou, abusou de você, o abandonou, apegue-se a essa promessa. Você terá muitas bênçãos à sua frente. Confie em Deus pelo seu futuro e desfrute seu dia enquanto espera pela justiça dele.

3 DE DEZEMBRO

Decida Ser Transformado

Nós, porém, temos a mente de Cristo (o Messias) (e conservamos os pensamentos, sentimentos e propósitos do seu coração).

1 CORÍNTIOS 2:16

Você fica furioso cada vez que alguém tenta corrigi-lo ou lhe dizer o que fazer porque você pensa que sempre tem razão? Se respondeu sim, estou certa de que você não é uma pessoa feliz. Você não consegue mudar os outros, mas pode permitir que Deus mude sua própria vida para que tais coisas não o incomodem mais.

Com Jesus Cristo como seu Salvador, você aprenderá como viver de forma diferente, você pode ter paz, pode dormir bem à noite, pode gostar de si mesmo, pode restaurar relacionamentos que foram arruinados. Sua mente pode ser renovada para ser como a mente de Jesus se você ler Sua Palavra e pedir-Lhe para ajudá-lo a viver a vida abundante que Ele veio lhe dar (veja João 10.10).

Começando Bem Seu Dia

4 DE DEZEMBRO

Use Bem Sua Autoridade

Não é assim entre vós; pelo contrário, quem quiser tornar-se grande entre vós, será esse o que vos sirva; e quem quiser ser o primeiro entre vós será vosso servo; tal como o Filho do Homem, que não veio para ser servido, mas para servir e dar a sua vida em resgate por muitos [o preço pago para libertá-los].

Mateus 20.26-28

Deus deseja nos restaurar para nossa correta posição de autoridade em Cristo. Mas, primeiramente, devemos aprender a respeitar as autoridades antes que sejamos colocados em autoridade.

Deus espera que nos submetamos a autoridades. Nosso governo, nossos oficiais de justiça e mesmo os estabelecimentos comerciais têm o direito de estabelecer regras para seguirmos. Se não nos submetemos às autoridades designadas por Deus, isso logo será revelado.

Mantenha uma atitude submissa em seu coração e desfrute a autoridade que você tem recebido para entrar na presença de Deus e passar tempo com Ele hoje.

5 DE DEZEMBRO

Mude as Coisas por Meio do Conhecimento

Entrega o teu caminho ao Senhor (lance e repouse cada cuidado da sua carga nele), confia nele (apoiem-se, confiem e tenham fé), e o mais ele fará.

Salmos 37.5

Todos nós desejamos que situações e relacionamentos mudem, mas nada mudará em nossa vida sem o conhecimento da Palavra de Deus. Em Oséias 4.6, Deus diz: "Meu povo é destruído por falta de conhecimento".

Mudanças ocorrem por meio de oração e de esperar pacientemente em Deus. Enquanto esperamos que Deus resolva nossos problemas, não devemos nos lamentar com todos a respeito de nossa situação.

Deus nos diz para confiarmos nele. Ele não está pedindo que confiemos nas pessoas envolvidas em nossos problemas; pede que apenas confiemos nele. Há uma grande diferença nisso. Deus é fiel para nos resgatar de todos os nossos problemas.

6 DE DEZEMBRO

Estenda uma Mão Amiga

Mas o maior dentre vós será vosso servo.

MATEUS 23.11

Se ajudarmos alguém a se tornar o que Deus quer que ele seja, Deus enviará alguém para nos ajudar a sermos tudo o que Ele deseja para nós.

Um dia perguntei a um dos meus músicos se ele gostaria de fazer algo que precisava ser feito. Ele disse: "Farei tudo o que você me disser para fazer; estou aqui para servi-la".

Eu disse: "Mas você *quer* fazer isso? Você não tem de fazê-lo; podemos encontrar outra pessoa". Ele respondeu: "Não importa se quero ou não. Diga-me o que você quer que eu faça e farei". Ele foi ungido para ajudar os outros e desfrutar a satisfação de fazer o que precisasse ser feito.

Desfrute seu dia, esteja pronto para ajudar as pessoas com aquilo que Deus o chamou para fazer.

7 DE DEZEMBRO

Oportunidades Trazem Oposição

Mas aquele que considera, atentamente, na lei perfeita, lei da liberdade, e nela persevera, não sendo ouvinte negligente (que esquece o que ouviu), mas operoso praticante (que obedece), esse será bem-aventurado no que realizar.

TIAGO 1.25

Muitas pessoas concordam com um sermão ou versículo, mas não o aplicam em sua vida cotidiana, por isso nada muda. Elas pensam que apenas porque concordam com a Palavra isso trará mudanças na vida delas. Mas mudanças não acontecem automaticamente; uma pessoa tem de ser praticante da Palavra e não apenas ouvinte. Jesus disse: "Estejam alertas (dêem muita atenção, estejam cautelosos e ativos) e vigiem e orem para que não caiam em tentação. O espírito de fato está pronto, mas a carne é fraca" (Mateus 26.41).

Cada vez que você tem oportunidade para crer em Deus para algo, sofrerá a tentação de desistir. Ore para que você possa vencer a tentação quando vier.

Começando Bem Seu Dia

8 de Dezembro

Desfrute a Liberdade

*Bem-aventurado (feliz, afortunado, admirável) o homem que suporta, com perseverança, a
provação; porque, depois de ter sido aprovado, receberá a [vitoriosa] coroa da vida, a qual
o Senhor prometeu aos que o amam.*

TIAGO 1.12

A vida é miserável quando não ouvimos aos outros, ou quando ficamos furiosos todas as vezes que alguém não concorda conosco. As pessoas se tornam emocionalmente escravas quando se estressam todas as vezes que alguém não concorda com elas.

É maravilhoso ser livre. Podemos agradecer pela liberdade de receber a ajuda de Deus e caminhar em paciência a despeito das circunstâncias. Nossa vida pode ser feliz, abençoada e pacífica. Podemos experimentar a alegria, não importa qual seja a situação.

9 de Dezembro

Desfrute um Novo Começo

Contigo, porém, está o perdão (justamente que o homem precisa), para que te temam.

SALMOS 130.4

As pessoas algumas vezes me dizem: "Fiz algo errado, e não sei se Deus poderá me perdoar". Mesmo quando cometemos erros graves, há sempre um lugar de perdão e um novo começo em Cristo. Quando temos um novo começo com Cristo, não temos de lamentar mais sobre o passado. Temos de apenas nos arrepender e seguir em frente. Não precisamos nos arrepender repetidamente pela mesma falta.

Se você conhece o caráter de Deus, sabe que Ele lhe perdoará por qualquer pecado, não importa quão terrível seja, porque, para Ele, pecado é pecado. Lembre-se: Deus pode fazer um milagre a partir de um erro. Se você precisa de perdão hoje, simplesmente confesse ao Senhor o que fez e desfrute seu novo começo (veja 1 João 1.9). Isso se inicia no momento do perdão.

10 DE DEZEMBRO

Aceite a Responsabilidade

Quanto ao mais, irmãos, adeus! Aperfeiçoai-vos (sejam plenos completos, feitos aquilo que
devem ser);, consolai-vos, sede do mesmo parecer[concordantes], vivei em paz; e [então] o
Deus de amor [que é a fonte da afeição, boa vontade, amor, benevolência diante dos homens]
e de paz estará convosco.

2 Coríntios 13.11

Cada um de nós precisa aceitar a responsabilidade de fazer o que é certo aos olhos de Deus, estejam os outros fazendo a coisa certa ou não. Caso contrário, teremos um impasse:

"Bem, se você nunca se desculpa, também não me desculparei."

"Você não é agradável, assim, também não serei agradável."

"Você não tem me elogiado durante um ano; assim, também não o elogiarei mais."

Essas atitudes geram relacionamentos problemáticos. Deus quer que vivamos da mesquinhez de discussões egoístas e amemos uns aos outros.

11 DE DEZEMBRO

Comece Alguma Coisa

O [seu] amor seja sem hipocrisia (algo real). Detestai o mal [detestando toda a impiedade,
afastando-se horrorizado de toda perversidade], apegando-vos ao bem. Amai-vos
cordialmente uns aos outros com amor fraternal [como membros da mesma família],
preferindo-vos em honra uns aos outros. No zelo, não sejais remissos; sede fervorosos
de espírito, servindo ao Senhor;

Romanos 12.9-11

Se começarmos a ter uma boa atitude, isso se espalhará e contagiará a todos. Não seria maravilhoso se pudéssemos espalhar um vírus bom?

Imagine os comentários: "Você ouviu? Algo maravilhoso está acontecendo. Já pegou você? Está correndo velozmente por todo o lugar. Aonde você vai as pessoas têm uma nova atitude"!

Vamos começar algo hoje! Vamos decidir pensar como Cristo. Vamos decidir amar todos que encontrarmos hoje e a decodificar a Palavra para que todos a entendam.

Começando Bem Seu Dia

12 DE DEZEMBRO

Comece Algo Bom

Porque haverá sementeira de paz; a vide dará o seu fruto, a terra, a sua novidade, e os céus, o seu orvalho; e farei que o resto deste povo herde tudo isto.

ZACARIAS 8.12

Comece algo bom na vida de alguém hoje.

Semeie fé para a cura, semeie esperança para a restauração. Um elogio sincero pode semear confiança em alguém que está precisando de encorajamento. Seu perdão por uma ofensa pode levar uma semente para que o milagre ocorra nessa situação.

Olhe para a necessidade de outra pessoa ou dê uma oferta especial para começar algo positivo no nome do Senhor. Lembre-se: Deus não quer que você semeie nada que Ele mesmo não tenha lhe dado a graça para dar. Desfrute a colheita abundante que retorna à sua própria vida quando você semeia na vida de outros.

---

13 DE DEZEMBRO

Seja um Verdadeiro Servo de Cristo

Ora, o Senhor é o Espírito; e, onde está o Espírito do Senhor, aí há liberdade (emancipação da escravidão, libertação).

2 CORÍNTIOS 3.17

Paulo disse que não se tornaria um escravo de nada e de ninguém, apenas de Jesus Cristo: "Tudo é legítimo para mim, mas não serei escravo de nada, nem me submeterei ao seu poder" (1 Coríntios 6.12 – AMP). Ele também disse: "Se eu estivesse tentando ser popular com as pessoas, não seria um verdadeiro servo do Senhor Jesus Cristo" (veja Gálatas 1.10 – AMP).

Se você deixar outras pessoas controlá-lo, não cumprirá o chamado de Deus em sua vida. Se deixar sua rejeição amedrontá-lo e mudar seu foco, não fará o que Deus quer que faça. Seja servo somente de Deus e servo das pessoas em nome dele.

14 DE DEZEMBRO

Siga a Jesus

E aquele que guarda os seus mandamentos [obedece suas ordens e segue seu plano, vive e continua a viver, mantém-se e] permanece em Deus, e Deus, nele (deixa Cristo ser sua morada e é uma morada para Cristo).

1 JOÃO 3.24

Algumas pessoas querem seguir a Jesus, mas têm medo de ser expulsas da sinagoga (veja João 12.42). Algumas pessoas ainda temem seguir ao Senhor porque podem ser expulsas de suas famílias, de seu círculo social ou de sua igreja.

No final de tudo, haverá somente uma pessoa a encarar: Deus. Você não deseja ouvi-lo dizer: "Eu tinha muito para sua vida, mas você não recebeu porque estava muito preocupado sobre o que as pessoas pensariam; você buscava apenas agradar às pessoas". Jesus não era levado pela opinião dos homens, por suas ameaças, julgamentos ou críticas. Siga o exemplo de Jesus e desfrute a vida.

15 DE DEZEMBRO

Ouça a Deus

Ouve o conselho e recebe a instrução, para que sejas sábio nos teus dias por vir.

PROVÉRBIOS 19.20

Você pode perguntar: "Como sei quando confrontar alguém sobre uma questão e quando deixar passar"? Se você está bastante ansioso para endireitar algo, pode não ser Deus que o esteja motivando. A correção deve ser feita em amor para edificar a pessoa, e não para derrubá-la. Sempre ore e espere para saber o que Deus quer que você faça.

Você deve ser dirigido pelo Espírito. Se, após orar, ainda sentir que deve falar com alguém sobre seu comportamento, esteja absolutamente certo de que está fazendo isso por causa da pessoa, e não por sua própria causa. Se é isso que Deus lhe disse para fazer, você pode até nem querer fazê-lo, mas será feito como um ato de obediência a Ele. O que você fizer faça-o em amor.

16 DE DEZEMBRO

Não Esfrie

... e vos renoveis no espírito do vosso entendimento,
EFÉSIOS 4.23

Espere que Deus lhe mostre algo novo hoje. Algumas pessoas resistem a mudanças, mas Deus nos criou com a necessidade de mudanças em nossa vida. Se fizermos a mesma coisa frequentemente, ficaremos cansados disso. Deus manterá nossa vida empolgante se O buscarmos todo dia.

Procure novas formas de fazer as coisas. Se você tem trabalhado no mesmo emprego por trinta anos, dirigindo pelo mesmo caminho, ao menos descubra um novo percurso para trafegar de vez em quando. Faça algo para trazer novidade à sua vida e descobrirá as muitas formas de Deus revelar-Se a você.

17 DE DEZEMBRO

Seja Dirigido pelo Espírito Santo

Pois todos os que são guiados pelo Espírito de Deus são filhos de Deus.
ROMANOS 8.14

Vivemos numa sociedade na qual as pessoas são levadas a se envolver em muitas atividades. Podemos estar cansados demais por fazer tantas coisas por dia, mas o ativismo não é o tipo de vida que Deus planejou para nós.

Deus não quer *nos forçar* a fazer coisas. Ele nos *orientará* ao colocar em nosso coração o que deveríamos fazer. Se você seguir o Espírito Santo, talvez tenha de dizer *não* a algumas das atividades que têm dito *sim* agora mesmo. Se o que está fazendo o tem deixado esgotado e exausto, você pode não ter a unção de Deus para fazer isso. Quando Ele o dirige a fazer algo, também o fortalece para cumprir seu verdadeiro chamado.

Livre-se de todas as coisas que o esgotam e confie em Deus para orientá-lo a realizar as obras que o manterão fortalecido e saudável.

18 DE DEZEMBRO

Mude; Não Reclame

Todas as coisas são lícitas [permissíveis e somos livres para fazer tudo o que queremos],
mas nem todas convêm (são convenientes, benéficas, e úteis). Todas são lícitas,
mas nem todas edificam.
1 CORÍNTIOS 10.23

Pessoas reclamam sobre o estresse, mas, em vez de reclamar, deveriam mudar. É fácil ficar amedrontado com o pensamento de sair fora de uma vida agitada, especialmente se você não está certo do que desistir para conseguir uma vida mais calma.

Deus quer que você desfrute uma bela vida, com simplicidade, saúde e direção clara. Isso somente vem quando você passa tempo com Ele, lendo sua Palavra, conversando com Ele e ouvindo sua resposta. Se você é ocupado demais para poder passar tempo com Deus cada dia, então coloque alguns limites em sua vida. Diga *não* àquilo que o impede de começar seu dia com Deus.

19 DE DEZEMBRO

Descanse um Pouco

Vinde a mim, todos os que estais cansados e sobrecarregados, e eu vos aliviarei (Eu darei
repouso, alívio e refrigério às suas almas)
MATEUS 11.28

Remover o estresse de sua vida exige mais do que simplesmente orar. Você deve tomar atitudes que possam trazer mudança e parar de fazer o que está causando estresse. Você pode aprender a ser mais calmo na maneira como faz as coisas.

Jesus convidou a ir a Ele todos que estiverem sobrecarregados. Ele promete nos refrigerar se estivermos cansados, exaustos e esgotados. Tenha tempo para ir até Jesus cada vez que você se sentir no limite ou à beira de um estresse. Deixe a presença dele restaurá-lo e refrigerá-lo.

Começando Bem Seu Dia 187

20 DE DEZEMBRO

Separe-se para Permanecer Inteiro

O efeito da justiça será paz (interior e exterior), e o fruto da justiça, repouso e segurança, para sempre.

ISAÍAS 32.17

Se você se sente compelido a fazer tanto que está se tornando fisicamente esgotado, pode estar sendo empurrado em vez de dirigir sua vida. Lembre-se: você tem de se desligar fisicamente de uma rotina agitada antes que todo seu ser sofra uma crise e "se desligue". Você tem de se desligar de tudo antes que se desligue física, mental e emocionalmente. Dê tempo a si mesmo para ter uma boa noite de sono.

É tentador fazer tudo o que alguém mais está fazendo, envolver-se com tudo, saber tudo, ouvir tudo, estar em todo lugar, mas isso não é o melhor de Deus para sua vida. Deseje afastar-se do ativismo compulsivo antes que você seja totalmente afastado por algum desgaste! Passe tempo com Deus e peça-Lhe que o ajude a organizar seu dia.

21 DE DEZEMBRO

Dê um Tempo

Volta, minha alma, ao teu sossego, pois o Senhor tem sido generoso para contigo.

SALMOS 116.7

Todos nós precisamos de um intervalo de tempos em tempos. Descanso não é apenas uma boa ideia, é uma ordem de Deus: "Seis dias farás a tua obra, mas, ao sétimo dia, descansarás; para que descanse o teu boi e o teu jumento; e para que tome alento o filho da tua serva e o forasteiro." (Êxodo 23.12). O Senhor acrescentou que "seis dias trabalharás, mas, ao sétimo dia, descansarás, quer na aradura, quer na sega." (Êxodo 34.21).

Isso significa que um dia por semana temos de interromper o trabalho diário e descansar. Não trabalhe naquele dia, mesmo em tempos de muita ocupação. Dedique este dia para passar tempo com Deus, adorando-O. Comece a semana da forma certa e volte-se para o que realmente é importante: honrar a Deus.

22 DE DEZEMBRO

A Qualidade Faz a Diferença

Amados, amemo-nos uns aos outros, porque o amor (é nascido) procede de Deus; e todo aquele
que ama é nascido de Deus e [progressivamente] conhece a Deus (percebendo-o, reconhecendo-o e
tendo um conhecimento melhor e mais claro dele).

1 João 4.7

Algumas vezes pensamos que quanto mais ocupado estivermos, mais estaremos fazendo para o Reino de Deus. Mas não é *quanto* fazemos, é a *qualidade* do que fazemos que faz a diferença. A maioria das pessoas admitirá que precisa passar mais tempo desenvolvendo bons relacionamentos.

Você não será um bom amigo para alguém se nunca investir tempo em seu relacionamento. Peça a Deus que traga alguém à sua mente que Ele gostaria que você abençoasse hoje. Então, siga em frente e deixe essa pessoa saber que Deus a colocou em seu coração.

23 DE DEZEMBRO

O Descanso É um Mandamento de Deus

Esforcemo-nos, pois, por entrar naquele descanso [de Deus, conhecer e experimentá-lo por nós
mesmos], a fim de que ninguém caia, segundo o mesmo exemplo de desobediência [na qual
aqueles no deserto caíram].

Hebreus 4.11

Não trabalhe tão arduamente de forma a não poder ter seu tempo com Deus. O descanso é importante para sua vida física e espiritual. A necessidade de descansar não pode ser ignorada, pois é um mandamento de Deus. Assim como não podemos quebrar os princípios com relação à alimentação ou à semeadura e à colheita, não podemos fazê-lo com relação ao princípio do descanso sem pagar o preço pela desobediência.

Paulo enviou Epafrodito para casa dizendo que ele tinha estado perto da morte na obra para Cristo (veja Filipenses 2.25-30), mas Deus teve misericórdia dele e poupou-lhe a vida. Encontre tempo para descansar regularmente. Em momentos de descanso, muito provavelmente, é que você ouvirá Deus falar.

Começando Bem Seu Dia

24 DE DEZEMBRO

Descanse e Renove-se

Portanto, resta um repouso para o povo de Deus. Porque aquele que entrou no descanso de Deus, também ele mesmo descansou [de sofrer a fraqueza e dor] de suas obras, como Deus das suas.

HEBREUS 4.9-10

Todos nós temos dons e talentos que estão além do que utilizamos, mas muitas pessoas estão tão esgotadas que nem têm vontade de realizar algo. Mesmo Deus descansou de todo o Seu trabalho, mas não porque estava cansado, e sim para desfrutar Sua criação (veja Gênesis 2.1-3). Pare de trabalhar o tempo inteiro e desfrute a si mesmo.

Mesmo a terra precisa de descanso por vários anos para produzir boas safras. Se você não descansa, não diminuirá sua produção e extinguirá sua criatividade. Você não tem de "fazer" o plano de Deus "funcionar" em sua vida; Ele próprio o fará (veja Filipenses 1.6). Descanse nele.

25 DE DEZEMBRO

Fortaleça-se

Guia-me na tua verdade e ensina-me, pois tu és o Deus da minha salvação, em quem [somente e completamente em Ti] eu espero [com expectativa] todo o dia.

SALMOS 25.5

Se você está esgotado o tempo todo, isso afetará sua vida espiritual porque você não desejará orar, estudar a Palavra ou caminhar no fruto do Espírito. Se você não é mais sensível às necessidades das outras pessoas, não está ouvindo a Deus.

Se você está cansado, é tempo de fortalecer sua vida. Lance fora as coisas que o esgotam e não tente fazer o que pensa que todos os outros estão fazendo. Espere em Deus para orientá-lo e tenha o descanso que você precisa para desfrutar sua caminhada com Ele.

26 DE DEZEMBRO

Desfrute a Si Mesmo

Nada há melhor para o homem do que comer, beber e fazer que a sua alma goze o bem do seu trabalho. No entanto, vi também que isto vem da mão de Deus.

ECLESIASTES 2.24

Todos nós temos coisas a fazer, mas Deus quer que desfrutemos a jornada de nossa vida. Se estivermos muito ocupados, impediremos o fluir daquilo que o Espírito Santo quer fazer por intermédio de nós.

O ativismo nos impede de ser frutíferos no Reino de Deus. Ele não nos colocou aqui simplesmente para trabalhar, lutar, acumular coisas e ficarmos estressados. Ele quer que O desfrutemos, bem como Sua criação.

Tenha tempo para desfrutar aquilo que Deus lhe dá. Desfrute sua família, sua casa e a si mesmo hoje.

27 DE DEZEMBRO

Prossiga

Irmãos, quanto a mim, não julgo havê-lo alcançado [ainda]; mas uma coisa faço [é minha aspiração]: esquecendo-me das coisas que para trás ficam e avançando para as que diante de mim estão, prossigo para o alvo, para o prêmio da soberana vocação de Deus em Cristo Jesus.

FILIPENSES 3.13-14

Deus o ungiu para fazer o que Ele planejou. Mas, quando essa unção acaba, pare de fazê-lo. Desista de fazer aquilo que um dia Deus o ungiu para fazer, mas não o unge mais. Não se mantenha fazendo a mesma coisa apenas porque as pessoas esperam isso de você.

Eu o encorajo a se livrar de atividades que enchem seu dia, mas não acrescentam nada à sua vida. Algumas vezes nos mantemos realizando tarefas que Deus não tem mais para nós. Peça-Lhe sabedoria e saia daquilo que Ele não lhe pede mais para fazer. Dê espaço para as coisas novas que florescerão por intermédio das obras de suas mãos.

Começando Bem Seu Dia

28 DE DEZEMBRO

Deixe Deus Fazer sua Agenda

Mas isto lhes ordenei, dizendo: Dai ouvidos à minha voz, e eu serei o vosso Deus, e vós sereis o meu povo; andai em todo o caminho que eu vos ordeno, para que vos vá bem.

JEREMIAS 7.23

Lembre-se: você faz sua agenda e pode muda-la. Ore sobre seu dia, sobre sua semana e sobre os alvos de sua vida para descobrir o que Deus quer que você faça e o que Ele não quer também.

Se você não fizer o que Deus diz, deixará as pessoas controlá-lo e manipulá-lo para fazer o que elas desejam. Você pode terminar fazendo coisas para as quais não foi ungido. Se você faz o que Deus lhe diz, Ele o abençoará com alegria, paz, descanso e relacionamentos maravilhosos.

29 DE DEZEMBRO

Livre-se das Distrações

O que torna agradável o homem é a sua misericórdia [e sua glória e prazer é sua generosidade].

PROVÉRBIOS 19.22

Algumas vezes você apenas precisar vencer a confusão para que possa ver claramente o que tem valor. Aqui está uma sugestão simples: não tenha mais do que você pode carregar. Se você tem tanta coisa em sua casa que gasta horas para limpá-la, livre-se de algo.

Encontre uma caixa grande e escreva "Caixa da bênção" de um lado. Comece a colocar nela as coisas extras até que a organização da casa se torne mais fácil. Encontre alguém que não tenha muito e o abençoe. Você ficará maravilhado com a facilidade de começar seu dia da forma certa quando não mais se distrair com as coisas de que não necessita.

30 de Dezembro

Levante-se e Trabalhe

Seja sobre nós a graça do Senhor, nosso Deus; confirma sobre nós as obras das nossas mãos, sim, confirma a obra das nossas mãos.

Salmos 90.17

É óbvio que devemos trabalhar mais do que descansar. Algumas pessoas apenas se deitam no sofá, comem bobagens, assistem à televisão o dia inteiro e ainda perguntam por que a vida delas é são um fracasso.

Uma vez que você descansou, levante-se e trabalhe. Você não terá autoridade sobre sua própria vida se não tiver autoridade sobre uma pia cheia de louças ou uma garagem totalmente desorganizada. Se você quer crescer no ministério aos outros, a Palavra diz que você, primeiramente, deve cuidar de sua própria casa (veja 1 Timóteo 3.5). Permaneça em casa e arrume-a se precisar fazê-lo; mas vença a batalha de colocar sua vida em ordem antes de querer consertar o mundo inteiro.

31 de Dezembro

Ministrar É Cumprir a Obra

Do trabalho de tuas mãos comerás, feliz (abençoado, afortunado, bem aventurado) serás, e tudo te irá bem.

Salmos 128.2

Não há nada mais prazeroso do que estar descansado e pronto para o trabalho que Deus nos chamou a fazer. Ele colocou em nós o desejo para ministrar às pessoas por intermédio das obras que fazemos. Mas ministrar é um trabalho que requer força física, emocional e espiritual.

O trabalho árduo é recompensador quando você segue o caminho de Deus e ministra às outras pessoas por intermédio da "obra de suas mãos". Eis por que é tão importante começar seu dia com Deus. Sua presença o edificará emocionalmente. Suas Palavras o fortalecerão espiritualmente e o tempo de descanso que Ele o chama para desfrutar o fará fisicamente capaz de lidar com tudo o que possa vir em seu caminho.

Começando Bem Seu Dia

Sobre a Autora

Joyce Meyer é uma das líderes no ensino prático da Bíblia no mundo. Renomada autora de bestsellers pelo *New York Times*, seus livros ajudaram milhões de pessoas a acharem esperança e restauração através de Jesus Cristo.

Através dos *Ministérios Joyce Meyer*, ela ensina sobre centenas de assuntos, é autora de mais de 80 livros e conduz aproximadamente 15 conferências por ano. Até hoje, mais de 12 milhões de seus livros foram distribuídos mundialmente, e em 2007 mais de 3.2 milhões de cópias foram vendidas. Joyce também tem um programa de TV e de radio, *Desfrutando a Vida Diária* ®, o qual é transmitido mundialmente para uma audiência potencial de 3 bilhões de pessoas. Acesse seus programas a qualquer hora no site www.joycemeyer.com.br

Tendo sofrido abuso sexual quando criança e a dor de um primeiro casamento emocionalmente abusivo, Joyce descobriu a liberdade de viver vitoriosamente aplicando a Palavra de Deus à sua vida, e deseja ajudar que os outros façam o mesmo. Desde sua batalha com câncer no seio até as lutas da vida diária, ela fala aberta e praticamente sobre sua experiência de modo que outros possam aplicar o que ela aprendeu às suas vidas.

Durante os anos, Deus proveu a Joyce com muitas oportunidades de compartilhar o seu testemunho e a mensagem de mudança de vida do Evangelho. De fato, a revista *Time* a selecionou como uma das mais influentes líderes evangélicas na America. Ela é um incrível testemunho do dinâmico e restaurador trabalho de Jesus Cristo. Ela crê e ensina que, independente do passado da pessoa ou dos erros cometidos no passado, Deus tem um lugar para elas, e pode ajudá-las em seus caminhos para desfrutarem a vida diária.

Joyce tem um merecido PhD em teologia obtido da Universidade Life Christian em Tampa, Florida; um honorário doutorado em divindade da Universidade Oral Roberts University em Tulsa, Oklahoma; e um honorário doutorado em teologia sacra da Universidade Grand Canyon em Phoenix, Arizona. Joyce e seu marido, Dave, são casados há mais de quarenta anos e são pais de quarto filhos adultos. Dave e Joyce Meyer vivem atualmente em St. Louis, Missouri.